영재학급

팩토
영재성검사
창의적
문제
해결력

수학

초등
3 ~ 4
학년

매스티안

구성과 특징

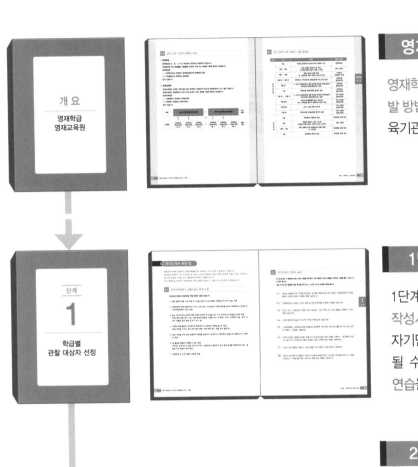

영재학급 · 영재교육원 개요

영재학급 · 영재교육원의 종류와 특징, 선발 방법, 선발 시기 등을 알아보고, 영재교육기관의 입학을 체계적으로 준비합니다.

1단계 – 학급별 관찰대상자 선정

1단계에서 제출하여야 하는 자기소개서 작성시 유의 사항, 예시 등을 살펴보고, 자기만의 열정, 인성, 장점 등이 잘 표현될 수 있도록 자기소개서를 직접 쓰는 연습을 합니다.

2단계 – 관찰 대상자 집중 관찰

——— 영재성 검사 ———

2단계에서 실시하는 영재성 검사의 기출 문제와 예상 문제를 창의성, 언어적 사고력, 수리적 사고력, 공간지각적 사고력의 4개 유형으로 나누어 학습하여 실전 감각을 키웁니다.

——— 창의적 문제해결력 검사 ———

2단계에서 실시하는 창의적 문제해결력 검사의 기출 문제와 예상 문제를 수와 연산, 도형, 규칙과 측정, 논리와 퍼즐의 4개 유형으로 나누어 학습하여 실전 감각을 키웁니다.

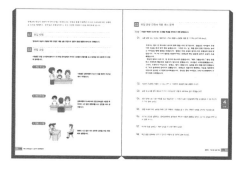

4단계 – 인성 및 심층 면접

4단계의 인성 및 심층 면접의 진행 방법
및 예상 질문 등을 유형별로 파악하여
실전 면접에 대비합니다.

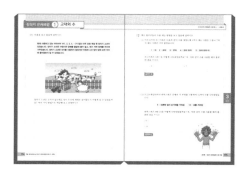

3단계 – 창의적 문제해결력 수행 관찰

3단계의 창의적 문제해결력 수행 관찰
의 예상 문제를 통하여 창의적인 아이디
어를 바탕으로 문제를 해결하는 실전 감
각을 키웁니다.

Contents

개 요

영재학급
영재교육원

공부 잘하는 학생	영재 학생
질문에 **정답**을 잘 맞힌다	질문에 대해 **질문**한다
흥미를 보인다	호기심이 높다
경청 한다	감정과 의견을 강하게 표출한다
또래들과 잘 어울린다	어른들과 어울리는 것을 좋아한다
이해력이 좋다	**추론**을 잘한다
정확히 답습한다	새롭게 창조한다
정보를 잘 기억한다	정보를 조작한다
암기를 잘한다	**추측**을 잘한다
자기의 학습에 만족한다	자기 비판적이다
수용적이다	집착을 잘한다
뭐야? 라는 질문을 잘한다	**왜?** 라는 질문을 잘한다
좋은 아이디어를 낸다	생소하고 이상한 아이디어를 낸다
기술자형이다	**발명가형**이다
열심히 공부한다	빈둥거리면서 잘한다

관찰 기록

학생이 영재라고 생각하는 구체적인 근거를 제시할 수 있도록 학생의 일상을 상세히 관찰하고 기록합니다.

각종 대회에서 입상했던 것들, 학생이 일상에서 만든 산출물 등을 모아 두거나 사진을 찍어 둡니다.

학부모 추천

학교에서 영재교육 대상자 선발을 위해 가정통신문을 받았을 때, 자녀가 영재라고 생각되면 학부모 추천 통신문을 기록하여 보내주면 됩니다.

그간의 기록물도 같이 보내 관찰에 참여하는 선생님들이 참고할 수 있도록 해도 좋습니다.

집중 관찰대상자 선정

담임 선생님 및 학교의 관찰추천 위원들이 학부모의 추천을 받은 학생들을 집중 관찰하고 평가하여 학교 대표로 영재성 평가에 참여하게 될 학생을 선발합니다.

학교 추천을 통한 영재성 평가

학교 추천을 받게 되면 해당 영재교육기관에서 창의적 문제해결 수행 관찰 및 면접을 보게 됩니다.

이 시험에서 최종 합격을 하게 되면 영재교육을 받을 수 있습니다.

03 영재교육기관의 종류와 특징

1. 영재학급

영재학급은 초 · 중 · 고 각급 학교에서 운영되는 영재교육기관입니다.

영재학급은 주로 특별활동, 재량활동, 방과후, 주말 또는 방학을 이용한 형태로 운영됩니다.

영재학급은

(ⅰ) 단위학교에서 운영하는 영재학급(방과후 영재학급 포함)

(ⅱ) 지역공동으로 운영하는 영재학급

등이 있습니다.

2. 영재교육원

영재교육원은 교육청, 대학 등에 설치 운영하는 영재교육기관으로 영재학급보다 수가 훨씬 적습니다.

영재교육원도 영재학급과 마찬가지로 방과후, 주말, 방학을 이용한 형태로 운영됩니다.

영재교육원은

(ⅰ) 교육청에서 운영하는 영재교육원

(ⅱ) 대학에서 운영하는 영재교육원

등이 있습니다.

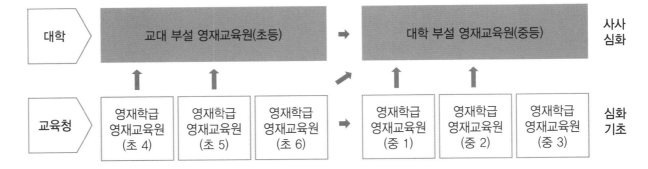

04 연간 영재교육 대상자 선발 흐름도

구분	시기	내용	업무 담당
영재교육원	5월	학교별 영재교육 대상자 추천 위원회 구성	영재담당부
	5월 ~ 9월	담임 선생님 체크리스트 작성 및 집중 관찰 대상자 선정 [1단계]	담임 선생님
	9월 ~ 10월	관찰 대상자 집중 관찰 및 영재교육 추천 대상자 선정 [2단계]	단위학교 관찰추천 위원
	8월 말 ~ 9월 초	대학부설, 지역교육청 영재교육원 모집 요강 발표	대학부설 영재교육원
	9월 말	(1~2단계 관찰추천에 의해 학교별 학교장 추천대상자) 대학부설 영재교육원 원서 접수	대학부설 영재교육원
	11월	대학부설 영재교육원 합격자 발표	대학부설 영재교육원
	11월 말 ~ 12월 초	(1~2단계 관찰추천에 의해 학교별 학교장 추천대상자) 지역교육청 영재교육원 원서 접수	지역 교육청 영재교육원
	12월 중순	창의적 문제해결력 평가 [3단계] (시도 교육청별 별도의 방법으로 운영 가능)	지역 교육청 영재교육원
	12월 후반	인성·심층 면접 [4단계]	지역 교육청 영재교육원
	12월 말	지역교육청 영재교육원 합격자 발표	지역 교육청 영재교육원
영재학급	2월	영재학급 선발요강 발표	영재학급 운영 학교
	3월	학급별 희망자 신청 [1단계] 학급별 관찰 대상자 선정 및 추천 [2단계]	담임 선생님
	3월 ~ 4월	자체 계획에 의한 관찰대상자 집중 관찰 [3~4단계]	영재학급 운영 학교
	4월	영재학급 합격자 발표	영재학급 운영 학교

05 교육청 영재교육원 선발 방식 및 시기

1. 교육청 영재교육원 선발 시기

시기	내용	추진 기관
8월	선발 요강 발표	교육청 영재교육기관
3월 ~ 9월	관찰대상자 선정 [1단계]	단위 학교
9월 ~ 11월	관찰대상자 집중 관찰 [2단계] 추천 대상자 선정 및 추천 [2단계]	단위 학교
12월	자체 계획에 의한 선발 [3~4단계] 최종 합격자 발표	교육청 영재교육기관

2. 교육청 영재교육원 선발 방식 : 관찰추천제

단계	추진 내용	인원	업무 담당
1단계	집중 관찰대상자 선정	학교가 결정	담임 선생님
2단계	관찰대상자 집중관찰	학교 총 재적수의 3% 이내	단위학교 관찰 추천위원
3단계	창의적 문제해결력 수행 관찰	최종 선발인원의 1.2배수	교육청 영재교육원 평가위원
4단계	인성 및 심층 면접	최종 선발인원	교육청 영재교육원 평가위원

※ 3~4단계 : 시도교육청 영재교육원 자체 계획에 의한 별도 전형으로 선발

06 단위 학교 영재학급 선발 방식 및 시기

1. 영재학급 선발 시기

시기	내용	추진 기관
2월	선발 요강 발표	운영 학교
3월	학급별 희망자 신청 [1단계] 학급별 관찰 대상자 선정 및 추천 [2단계]	운영 학교 각 학급
3월 ~ 4월	자체 계획에 의한 관찰대상자 집중 관찰 [3~4단계]	운영 학교
4월	최종 합격자 발표	운영 학교

2. 영재학급 선발 방식 : 관찰추천제

단계	추진 내용	인원	업무 담당
1단계	학급별 희망자 신청	학교가 결정	담임 선생님
2단계	학급별 관찰 대상자 추천	학교가 결정	담임 선생님
3단계	창의적 문제해결력 평가	지원 인원	운영 학교 평가위원
4단계	인성 및 심층 면접	최종 선발인원	운영 학교 평가위원

※ 3~4단계 : 각 학교 영재학급별 자체 계획에 의한 별도 전형으로 선발

1. 대학부설 영재교육원 선발 시기

시기	내용	추진 기관
9월	선발 요강 발표	대학부설 영재교육원
5월 ~ 9월	관찰대상자 선정 [1단계]	단위 학교
9월	관찰대상자 집중 관찰 [2단계] 추천 대상자 선정 및 추천 [2단계]	단위 학교
10월 ~ 11월	자체 계획에 의한 선발 [3~4단계] 최종 합격자 발표	대학부설 영재교육원

2. 대학부설 영재교육원 선발 방식 : 관찰추천제

단계	추진 내용	인원	업무 담당
1단계	추천	대학부설 영재교육원 결정	영재 담당 선생님
2단계	서류 심사 (지원서, 학교생활기록부, 자기소개서, 교사추천서)	대학부설 영재교육원 결정	대학부설 영재교육원 평가위원
3단계	심층 면접 1	대학부설 영재교육원 결정	대학부설 영재교육원 평가위원
4단계	심층 면접 2	최종 선발 인원	대학부설 영재교육원 평가위원

※ 3~4단계 : 각 대학부설 영재교육원 자체 계획에 의한 별도 전형으로 선발

3. 대학부설 영재교육원 관찰추천제 평가 도구 (예시)

평가 도구 (제출 서류)	설명
자기소개서 (15%)	• 평가 대상 : 탐구 활동, 영재성 실례, 장래희망 • 평가 항목 : 관련 분야의 지적 능력, 영재성, 창의성
학교생활기록부 (15%)	• 평가 대상 : 학교생활기록부 • 평가 항목 : 학습 능력, 영재성 관련 활동, 봉사활동, 가치관
교사추천서 (20%)	• 평가 대상 : 창의력, 지적 능력, 학습 성과에 관한 정량적 표기 및 근거, 지원자의 영재성의 실례 기술 • 평가 항목 : 영재성, 창의성, 지적 능력, 학습 성과
심층 면접 1 (30%)	• 평가 대상 : 자신의 능력 및 근거 등에 대한 제출 서류의 진실성 등의 확인 • 평가 항목 : 창의력, 영재성, 지적 능력, 학문적성, 집중력, 발표력
심층 면접 2 (20%)	• 평가 대상 : 관찰 대상을 제시하고 관찰 내용을 기술, 다양한 일상 주제에 대한 자신의 주장을 논리적으로 기술 • 평가 항목 : 영재성, 창의력, 논리력, 인성

※ 각 대학부설 영재교육원 자체 계획에 의한 별도 평가 도구 사용 가능

4. 대학부설 영재교육원 설치 운영 현황 ('13.4월 기준)

시도	개수	기관명	관할	초등학교 대상	중학교 대상	고등학교 대상
서울	11	서울교육대학교 과학영재교육원	국가	○		
		서울대학교 과학영재교육원	국가		○	
		연세대학교 과학영재교육원	국가		○	
		동국대학교 과학영재교육원	국가	○	○	
		건국대학교 음악영재교육원	시도본청	○	○	○
		고려대학교 영재교육원	시도본청	○	○	
		덕성여자대학교 도봉영재교육원	시도본청		○	
		서울과학기술대학교 노원영재교육원	시도본청		○	
		서울대학교 관악영재교육원	시도본청		○	
		이화여자대학교 서대문영재교육원	시도본청	○	○	
		서울대학교 관악창의예술영재교육원	시도본청	○		
부산	3	부산대학교 과학영재교육원	국가	○	○	
		동의대학교 예술영재교육원	시도본청	○	○	
		부산대학교 예술영재교육원	시도본청	○	○	
대구	6	경북대학교 과학영재교육원	국가		○	
		경북대학교 영어영재교육원	시도본청	○	○	
		경북대학교 정보영재교육원	시도본청		○	
		대구교육대학교 과학영재교육원	시도본청	○		
		대구교육대학교 미술영재교육원	시도본청	○		
		대구교육대학교 정보영재교육원	시도본청	○		
인천	3	인천대학교 과학영재교육원	국가	○	○	
		경인교육대학교 계양영재교육원	시도본청	○	○	
		인천재능대학교 영재교육원	시도본청	○		
광주	2	전남대학교 과학영재교육원	국가	○	○	
		광주교육대학교 영재교육원	시도본청	○		
대전	5	공주대학교 사이버영재교육원(대전)	시도본청	○	○	
		대전대학교 인문영재교육원	시도본청	○	○	
		충남대학교 고등영재교육원	시도본청			○
		카이스트 글로벌영재교육원	시도본청	○	○	○
		충남대학교 과학영재교육원	시도본청	○	○	
울산	1	울산대학교 과학영재교육원	국가	○	○	

지역	수	기관명	구분			
경기	8	가천대학교 과학영재교육원	국가	○	○	
		대진대학교 과학영재교육원	국가		○	
		아주대학교 과학영재교육원	국가	○	○	
		가천대학교 과학영재교육원	시도본청	○	○	
		강남대학교 부설 예술영재교육원	시도본청	○	○	○
		경인교육대학교 부설 과학영재교육원	시도본청	○		
		수원대학교 부설 영재교육원	시도본청	○	○	
		한국외국어대학교 부설 영재교육원	시도본청	○	○	
강원	4	강릉원주대학교 과학영재교육원	국가	○	○	
		강원대학교 과학영재교육원	국가	○	○	
		강원대학교 의학영재교육원	시도본청	○	○	
		춘천교육대학교 발명영재교육원	시도본청	○	○	
충북	2	청주교육대학교 과학영재교육원	국가	○	○	
		충북대학교 과학영재교육원	국가	○	○	
충남	5	공주대학교 과학영재교육원	국가	○	○	
		공주교육대학교 영재교육원	시도본청	○		
		공주대 사이버영재교육원(충남)	시도본청	○	○	
		순천향대학교 영재교육원	시도본청	○	○	
		호서대학교 국제영재교육원	시도본청	○	○	
전북	4	군산대학교 과학영재교육원	국가	○	○	
		전북대학교 과학영재교육원	국가	○	○	
		원광대학교 영재교육원	시도본청		○	
		전주교육대학교 영재교육원	시도본청	○		
전남	2	목표대학교 과학영재교육원	국가	○	○	
		순천대학교 과학영재교육원	국가	○	○	
경북	4	안동대학교 과학영재교육원	국가	○	○	
		금오공과대학교 영재교육원	시도본청	○	○	
		동양대학교 영재교육원	시도본청	○		
		안동과학대학교 영재교육원	시도본청	○	○	
경남	4	경남대학교 과학영재교육원	국가	○	○	
		경상대학교 과학영재교육원	국가	○	○	
		창원대학교 과학영재교육원	국가	○	○	
		인제대학교 영재교육원	시도본청		○	
제주	1	제주대학교 과학영재교육원	국가	○	○	
계	65					

1단계는 집중관찰 대상자 선정을 위한 담임 선생님의 추천 단계로 학급별 관찰대상자는 영재교육을 희망하는 학생만을 대상으로 하기 때문에 학교 홈페이지 가정 통신문을 통하여 '희망자 조사'를 합니다.

담임 선생님은 희망자를 대상으로 학교 생활 중 학생의 영재성 관찰, 학생이나 학부모 상담 등에 의해 잠재적 영재들을 발굴하여 집중 관찰 대상자를 선정합니다.

⑴ 학생의 수업 태도, 창의성, 과제집중력, 학업성취도 평가
⑵ 창의적인 아이디어와 다양한 문제해결 방식을 담임 선생님이 종합평가

시 기	일 정	내 용	자 료
5월 ~ 9월	학생 본인 추천	• 학생의 자기소개서 작성	선발도구 1-1
	학부모 추천	• 가정통신문과 학부모 추천서 작성	선발도구 1-2
	동료 학생 추천	• 동료 학생 추천 설문 실시	선발도구 1-3
	담임 선생님 추천	• 관찰 가능한 행동특성을 중심으로 체크리스트 작성 • 학업성취도와 수행평가 결과 작성	선발도구 1-4
	담임 선생님의 관찰대상자 선정	• 동료 학생 추천, 학부모 추천, 담임 선생님 추천 결과를 종합적으로 고려하여 관찰 대상자 선정	

단계

1

학급별
관찰 대상자 선정

1. 자기 소개서

자기 소개서

이름		소속학교		학년	
지원과정			지원분야		

지원자는 아래의 질문에 대하여 구체적인 사례를 중심으로 자신의 생각이나 경험했던 사실을 바탕으로 답변을 작성해 주시기 바랍니다. 면접 전형에서 답변 내용을 확인할 예정이므로 사실대로 작성하여야 합니다.

---

1. 자신을 선발해야 하는 이유를 지원 동기 및 장래희망을 중심으로 기술하고, 영재교육원의 교육을 통하여 자신의 성장에 기대하는 바를 기술하시오.

2. 교내에서 참가했던 수학 관련 대회 또는 활동 중 가장 인상 깊었던 과정과 그 내용을 기술하시오.

3. 본인이 수학 영역에 지원하기 전까지 이 분야와 관련된 책 중 가장 많은 성취감을 얻은 도서 1권을 선정하고, 이 책을 통해 배운 내용 또는 영향 받은 내용을 기술하시오.

4. 자신의 장래희망을 기술하고, 장래희망을 위해 어떻게 노력할 것인지 기술하시오.

5. 위의 질문 사항이 아니지만 스스로 소개하고 싶은 내용이 있다면 기술하시오.

지원자는 자신의 생각과 경험 등 사실에 근거하여 자기소개서를 직접 작성하였음을 확인합니다.

년   월   일

지원자 :   (인)

2. 학부모 추천 　선발도구 1-2

학부모 추천서

(　　　)학년 (　　　)반 이름 : _____

학부모 이름 : _____

영재는 또래보다 지적 수준이 매우 높고 과학, 수학, 예술 등 특정 영역의 학업 능력이 뛰어납니다. 과제집착력이 우수하여 주어진 과제에 끝까지 도전하여 해결하며 높은 창의성을 보입니다. 또한 리더십 부분에서 두각을 나타내기도 합니다.

귀댁의 자녀가 위와 같은 영재의 특성을 가지고 있다고 생각하십니까?
만약 그렇다면 아래의 영재 특성 10점 척도(10~9:항상 그렇다, 8~7:자주 그렇다, 6~5:가끔 그렇다, 4~3:드물게 그렇다, 2~1: 전혀 그렇지 않다)에 ○표로 체크해 주십시오. 그리고 '근거가 되는 일화'에는 대표적인 관련 내용을 기록하여 주시기 바랍니다.

번호	영재 특성	근거가 되는 일화
1	또래보다 우수한 지적 능력을 보입니까? [10 9 8 7 6 5 4 3 2 1]	
2	과학 또는 수학에 매우 우수한 학업 능력을 보입니까? [10 9 8 7 6 5 4 3 2 1]	
3	상상력이 풍부하고 다양한 아이디어를 냅니까? [10 9 8 7 6 5 4 3 2 1]	
4	독창적인 방식으로 문제를 해결합니까? [10 9 8 7 6 5 4 3 2 1]	
5	또래 친구들과 놀이나 활동을 할 때 리더십이 있습니까? [10 9 8 7 6 5 4 3 2 1]	
6	주어진 과제를 끝까지 해결하려고 합니까? [10 9 8 7 6 5 4 3 2 1]	

3. 동료 추천 선발도구 1-3

동료 학생 추천서

(   )학년 (   )반   이름 : _____

※ 다음 물음에 해당되는 친구의 이름을 1～3명씩 적어 보세요.

1	우주인을 만난다면, 우주인에게 지구의 자연 환경, 생활 모습 등을 논리적으로 설명할 수 있는 친구는 누구일까요? ① _____ ② _____ ③ _____
2-1	우리 반에서 과학을 좋아하고 탐구력이 우수하여, 과학 시간에 함께 과학 실험을 하고 싶은 친구는 누구입니까? ① _____ ② _____ ③ _____
2-2	우리 반에서 수학을 좋아하고 수학 문제를 잘 해결하여, 함께 수학 공부를 하고 싶은 친구는 누구입니까? ① _____ ② _____ ③ _____
3	우리 반이 무인도에 표류하게 되었다면 살아 남기 위한 좋은 아이디어를 많이 낼 수 있는 친구는 누구일까요? ① _____ ② _____ ③ _____
4	남과 다르게 생각하고 톡톡 튀는 아이디어로 문제를 해결하는 친구는 누구입니까? ① _____ ② _____ ③ _____
5	남을 배려할 줄 알고, 까다로운 친구와 같은 모둠이 되어도 힘을 합쳐 문제를 끝까지 잘 해결하는 친구는 누구입니까? ① _____ ② _____ ③ _____
6	에디슨은 전구의 필라멘트를 발명하기까지 3000번 이상 도전하였다고 합니다. 에디슨처럼 어려운 문제를 포기하지 않고 끝까지 도전하는 친구는 누구입니까? ① _____ ② _____ ③ _____

1
단계

4. 담임 선생님 관찰 체크리스트　선발도구 1-4

담임 관찰 체크리스트

(　　)학년 (　　)반　이름 : _____　　담임 : _____ (서명)

구분	관찰 내용	점수				
일반 능력	또래 아이들보다 풍부한 어휘력을 구사한다.	5	4	3	2	1
	새로운 정보에 대한 이해가 빠르다.	5	4	3	2	1
	어떤 상황이나 현상에 대한 인과관계를 빨리 파악한다.	5	4	3	2	1
	자신의 생각을 논리적으로 표현한다.	5	4	3	2	1
	소계					
리더십	분명한 삶의 목적과 사명의식을 가지고 있다.	5	4	3	2	1
	자신의 능력을 믿으며 스스로를 자랑스럽게 여긴다.	5	4	3	2	1
	모둠활동을 할 때 다른 친구들과 뜻을 잘 맞추면서 한다.	5	4	3	2	1
	소계					
학업 적성	지원하는 분야에 대한 호기심이 강하다.	5	4	3	2	1
	지원하는 분야와 관련된 배경 지식이 다양하고 풍부하다.	5	4	3	2	1
	소계					
창의성	어떤 상황이 발생되면 다양한 아이디어를 산출해 낸다.	5	4	3	2	1
	주어진 문제에서 다양한 시각으로 방법을 찾아 해결한다.	5	4	3	2	1
	문제를 해결하기 위해 산출한 아이디어나 자료를 논리적으로 분석하고 추론한다.	5	4	3	2	1
	소계					
	합계					

[일화 기록 및 종합 의견]

관찰평가의 다양한 방법

선생님이 여러 학생의 수업
모습을 보며 체크리스트에 기록

선생님이 수업시간에 해결하지 못한 문제를
집에서 생각해 보라고 했는데, 한 명의
학생만 남아서 계속 문제를 푸는 경우

여러 학생의 포토폴리오 중에서
한 학생의 포토폴리오가 굉장히
독특한 경우

여러 학생 앞에서 한 학생이 칠판에
남들과 다른 방법으로 문제를 푼 경우

○ 자기소개서 쓰는 법

영재교육기관에 입학하기 위해 제출해야 할 서류에는 자기소개서가 포함되어 있습니다.

영재교육기관에서 자기소개서를 요구하는 이유는 영재교육 대상 선정과 관련한 폭넓은 정보 수집을 통해 지원 학생의 능력을 보다 세밀하게 파악하기 위해서입니다.

먼저 영재교육기관에서 선발하려는 학생 유형을 살펴보고, 실제 자기소개서를 작성해 봅시다.

01 영재교육원에서 선발하려는 학생 유형

영재교육기관에서 선발하려는 학생 유형은 다음과 같습니다.

1. 지원 영역에 대한 기본 개념 및 지식을 갖추어 도전 과제를 수행하는데 무리가 없는 학생

2. 지원 영역에 대한 열정(지적 호기심, 도전 정신, 자신감)과 어려운 문제를 끝까지 해결하려는 인내와 끈기(과제집착력)가 있는 학생

3. 평소 자신의 관심 분야에 대해 꾸준히 흥미와 호기심을 갖고 자기 주도적으로 학습을 지속한 학생
(지원 영역 관련 잡지 구독, 지원 영역과 관련된 다양한 독서, 수학일기 작성, 프로젝트 학습, 공연, 전시회, 박물관 등의 관람 및 후기 쓰기 등)

4. 다양한 체험 활동에 적극적이며 창의적이고 도전적인 과제를 즐기는 학생
(선발 과정을 거치는 국내 무료 캠프 체험, 각종 대회 참가, 발명 공작 활동 등)

5. 항상 주변을 주의 깊게 관찰하며 문제를 발견하고 적극적이고 창의적인 방법으로 해결하고자 노력하는 학생

6. 팀 활동을 원활히 수행할 수 있는 학생
(리더십, 논리적인 근거를 가진 의견 제시, 독립적으로 행동하지 않고 함께 문제를 해결하려는 태도, 팀원들 간의 원만한 관계 형성)

7. 장래희망 및 진로 계획이 분명한 학생

02 자기소개서 작성의 실제

자기소개서는 각 문항에서 묻는 핵심 사항을 파악하여 그에 적합한 자신의 경험을 구체적인 사례를 들어 스토리 있게 써야 합니다.

다음 자기소개서 문항에 대한 예시를 읽어 보고, 스스로 자기소개서를 작성해 봅시다.

Q1. 자신을 선발해야 하는 이유를 지원 동기 및 장래희망을 중심으로 기술하고, 영재교육원의 교육을 통하여 자신의 성장에 기대하는 바를 기술하시오.

Q2. 가정환경(부모 교육관), 자신의 장점 및 단점 등 본인을 소개하는 내용을 기술하시오.

Q3. 자신과 친구, 선생님과의 관계에 대해 기술하고, 가장 기억에 남는 봉사활동을 선택하여 느꼈던 점을 기술하시오.

Q4. 수학에 흥미와 관심을 가지게 된 계기를 구체적으로 기술하시오.

Q5. 교내(영재학급, 과학영재교육원 포함)에서 참가했던 수학 관련 대회 또는 활동 중 가장 인상 깊었던 과정과 그 내용을 기술하시오.

Q6. 수학과 관련된 내용을 학교에서 배울 때 가장 흥미로웠던 학습 주제를 소개하고, 그에 관하여 심화해서 배우거나 연구한다면 어떻게 학습할 것인지 간략한 학습 계획을 기술하시오.

Q7. 자신의 장래희망을 기술하고, 장래희망을 위해 어떻게 노력할 것인지 기술하시오.

Q8. 본인이 수학 영역에 지원하기 전까지 이 분야와 관련된 책 중 가장 많은 성취감을 얻은 도서 1권을 선정하고, 이 책을 통해 배운 내용 또는 영향 받은 내용을 기술하시오.

Q1. 자신을 선발해야 하는 이유를 지원 동기 및 장래희망을 중심으로 기술하고, 영재교육원의 교육을 통하여 자신의 성장에 기대하는 바를 기술하시오.

📝 기술 Point

- ✔ 지원 분야에 관심을 가지게 된 사건이나 계기, 자신의 활동, 노력 등을 구체적인 사례를 들어 쓰세요.
- ✔ 지원 분야에 대한 자신의 열정, 앞으로 어떤 일들을 하고 싶다고 반드시 표현하세요.
- ✔ 영재교육원의 수업에서 얻고자 하는 것이 무엇인지, 어떤 기대를 하고 있는지, 자신의 목표를 이루기 위해 어떻게 학습할 것인지 등을 설득력 있게 쓰세요.

아름다운 건축가를 꿈꾸는 ○○초등학교 ○학년 ○반 ○○○입니다.

평소 건축에 관심이 많은 저는 아빠와 차를 타고 지나가다 건설 중인 다리를 보게 되었습니다. 그때 문득 '저 다리의 기둥은 왜 원기둥으로 만들까? 왜 삼각기둥이나 사각기둥으로는 만들지 않을까?' 라는 생각이 들었습니다. 아빠에게 그 이유를 물어보았더니 아빠도 왜 그런지 궁금하다고 하셔서 직접 실험을 해 보았습니다.

평소 호기심이 생기면 궁금증을 해결하고야 마는 성격인 저는 이번에도 스티로폼으로 원기둥, 사각기둥, 삼각기둥을 만들고 실험을 한 결과, 원기둥의 다리가 가장 많은 무게를 견디는 것을 발견하였습니다. 그 이유를 탐구하는 과정에서 '같은 둘레의 길이를 가진 평면 도형 중에서 원이 가장 넓다'라는 사실도 알게 되었습니다. 그래서 원이 가지는 특징과 탐구한 결과를 보고서로 작성하여 학교 대표로 지역 교육청 탐구보고서 발표 대회에 출전하기도 하였습니다.

평소 당연하게 생각했던 것에 '왜 그럴까?'하는 작은 의문에서 시작했지만 그것을 탐구하는 과정 속에서 저는 많은 것을 배우고 깨닫게 되었습니다. 그 이후로 저는 무심코 지나쳤던 우리 주변 현상에 대해서 '왜?' 하고 생각해 보는 습관을 갖게 되었습니다.

저의 장래희망은 시드니 오페라 하우스를 설계한 덴마크 건축가 요른 우촌 같은 건축가입니다. 그래서 저도 미래에 튼튼하고 기능이 다양한 아름다운 건축물을 설계해서 많은 사람들이 오래도록 이용하면서 아름다움과 행복함을 느끼도록 하고 싶습니다.

하나의 건축물을 만들기 위해서는 수학, 과학, 예술, 공학 등 여러 학문의 지식이 융합되어야 합니다. 그래서 여러 학문의 기초인 수학과 과학을 더욱 공부하기 위해 이번 ○○대 영재교육원 수학과 과학 융합분야에 지원하게 되었습니다.

○○대 영재교육원에서 제가 해보고 싶었던 탐구와 실험을 보다 체계적으로 할 수 있고 저와 관심이 같은 친구들과 즐겁게 문제도 해결하고, 탐구, 실험, 토론을 함께 할 수 있다는 생각에 가슴이 설렙니다. 영재교육원의 수업이 제 꿈을 이루는데 발판이 될 것이라 확신하며, 수업에 성실하게 임하며 최선을 다하겠습니다.

👥 면접시 예상질문

Q1. 건축물을 만들기 위해서는 왜 수학, 과학, 예술, 공학 등이 융합적으로 필요하다고 생각하는가?

Q2. 원이 가지는 특징 1개를 설명하고, 주변에서 그 특징을 활용한 예를 찾아 설명해 보시오.

자기소개서 직접 써 보기

Q1. 자신을 선발해야 하는 이유를 지원 동기 및 장래희망을 중심으로 기술하고, 영재교육원의 교육을 통하여 자신의 성장에 기대하는 바를 기술하시오.

Q2. 가정환경(부모 교육관), 자신의 장점 및 단점 등 본인을 소개하는 내용을 기술하시오.

기술 Point

✔ 부모님의 교육관, 교육 방법, 부모님께 자신이 받은 영향 등을 구체적인 사례를 들어 진솔하게 쓰세요.

✔ 자신의 장점이 돋보인 사례를 1~2가지 써야 하나, 너무 많은 장점을 장황하게 쓰지 않도록 하세요.

✔ 자신의 단점은 1~2가지 정도만 쓰고 이를 개선하기 위해서 현재 어떤 노력을 하고 있는지 쓰세요.

저희 가족은 아빠, 엄마, 저 이렇게 세 식구입니다.

저희 아빠는 스스로 좋아하는 것을 즐기라고 하십니다. 누구도 즐기는 자를 절대 이길 수 없다고 하시면서 제가 좋아하는 것은 무엇이든 관심을 갖고 해 볼 수 있도록 지원해 주십니다.

얼마 전에도 기계를 좋아하는 저를 위해 아빠는 컴퓨터를 같이 분해해 청소하고 조립하자고 하셨습니다. 청소를 하기 위해 분해를 하면서 이런 조그만 부품이 모여 컴퓨터가 작동된다는 것이 너무 신기했습니다. 아빠가 알려 주시는 대로 조립을 도와드렸는데, 아빠는 잘했다고 칭찬을 아끼지 않으시며 다음엔 다른 것에도 도전해 보자고 용기를 주셨습니다.

저희 엄마는 제가 어렸을 때부터 학원을 보내시기 보다는 도서관이나 서점에 자주 데리고 가서 책을 읽는 습관을 기르도록 해 주셨고, 박물관, 전시회, 공연 등 다양한 경험을 할 수 있도록 해 주셨습니다. 가장 인상 깊었던 일은 예술의 전당에서 '반 고흐부터 피카소까지'의 그림 전시회에 갔었을 때입니다. 그림들을 보다가 문득 '왜 피카소는 자연, 인물 등을 그리지 않고 저런 이상한 형태의 그림을 그렸을까?'하는 의문이 생겼습니다. 집에 돌아와 일기를 쓰며 예술의 전당 곳곳에서 찍은 사진을 보던 중 '사진은 무엇이든 보이는 대로 찍을 수 있고, 피카소는 보이지 않는 감정, 생각 등을 그림으로 표현한 것이로구나.'라는 것을 생각해 내고 너무 뿌듯해 했던 기억이 납니다. 그 이후 미술의 변천사에 대해서도 많은 관심을 갖게 되었습니다.

저의 큰 장점은 긍정적인 사고입니다. 그래서 늘 밝고 명랑하게 생활합니다. 선생님들께서도 행동이 활기차며 매사에 말씨와 행동에 붙임성이 있어 친구 관계가 매우 좋다고 말씀해 주십니다.

점심 시간을 이용하여 친구들과 야구를 종종 하는데 경기 결과에 상관없이 친구들과 어울리는 것 자체를 즐기려고 노력하고, 이런 긍정적이고 적극적인 사고 방식은 스트레스를 줄이고 제가 어떤 일이든 도전하는데 힘이 됩니다.

저의 단점은 조금 덜렁대고 종종 실수를 한다는 것입니다. 그래서 수학 시험에서 가끔 계산 실수를 합니다. 하지만 저는 그런 저의 단점을 알고 있기 때문에 문제를 다 푼 후에는 다시 한 번 검산해 보는 습관을 가지려고 노력해서 지금은 많이 좋아졌습니다.

저는 앞으로도 장점은 좀 더 개발하고 단점은 고치려고 노력할 것입니다.

면접시 예상질문

Q1. 미술의 변천사에 관심을 갖게 되었다고 했는데, 그래서 어떻게 하였는지 이야기 해 보시오.

Q2. 자신에게 어려운 일이 닥친 사례 1가지를 말하고, 어떻게 극복했는지 말해 보시오.

Q2. 가정환경(부모 교육관), 자신의 장점 및 단점 등 본인을 소개하는 내용을 기술하시오.

Q3. 자신과 친구, 선생님과의 관계에 대해 기술하고, 가장 기억에 남는 봉사활동을 선택하여 느꼈던 점을 기술하시오.

📝 기술 Point

✔ 학교 생활은 친구 관계와 선생님과의 관계를 보여줄 수 있는 구체적인 사례를 들어서 쓰세요.

✔ 선생님께 칭찬을 받았던 경험이 있다면 선생님이 어떤 면을 칭찬해 주셨는지 구체적으로 쓰세요.

✔ 봉사활동을 통해 느낀 점을 진솔하게 쓰세요.

저는 수업 시간에 적극적으로 참여하고 집중합니다. 또, 친구들과 의견을 나누며 함께 공부하는 것을 좋아합니다. 친구들은 종종 제가 수학 문제를 잘 풀고 설명을 잘해 준다며 질문을 하곤 합니다. 그때마다 친구들에게 도움을 주는 것도 보람 있지만, 저도 그 문제를 확실히 알게 되어 잊어버리지 않고, 때론 미처 몰랐던 사실을 깨닫기도 합니다. 그래서 나만의 수학 비법 노트를 만들었는데 친구들이 수학을 제일 잘한다고 인정해 주어 자연스럽게 친구들과 더 가까워졌고 자신감도 많이 생겼습니다.

저는 학급에서 반장입니다. 선생님께서는 저에게 리더십도 있고 유머 감각도 있어서 반 분위기를 좋게 만든다고 칭찬해 주십니다. 지난 운동회 때는 저희 반 친구들과 함께 응원 구호와 응원가를 재미있게 만들고 모두 함께 열심히 응원하여 응원상을 받기도 하였습니다.

저는 얼마 전 엄마, 아빠와 함께 전남 강진에 홍수로 인해 수해를 입은 곳에 갔습니다. 그곳에는 수해 복구를 위해 애쓰시는 많은 자원봉사자들이 있었습니다. 저는 집을 잃은 지역 주민들에게 점심을 드리는 자원봉사를 했습니다. 저는 반찬을 담아주는 일을 하였는데, 어린 꼬마 아이가 많이 배가 고팠는지 반찬도 몇 가지 되지 않았는데도 너무 맛있게 먹었습니다. 꼬마 아이는 집에 흙더미들로 가득차서 들어갈 수가 없다며 울먹였습니다. 저는 집에서 반찬 투정을 많이 해서 꾸중을 많이 들었는데 여기에 와서 보니 그동안 안락한 집에서 편안히 밥을 먹을 수 있다는 것에도 감사한 마음이 들었습니다.

이번 봉사활동을 통해 어렵고 힘든 상황은 언제든 누구에게나 닥칠 수 있고 작은 힘이라도 조금씩 합치면 큰 힘이 되어 그 어려움을 함께 이겨낼 수 있다는 것을 배웠습니다. 봉사활동을 하고 나니 몸은 피곤하고 힘들었는데, 처음으로 다른 사람들을 위해서 일을 했다는 것이 너무나 즐겁고 뿌듯했습니다. 앞으로 꾸준히 제가 할 수 있는 자원봉사활동을 찾아 해야겠다고 결심하였습니다.

👥 면접시 예상질문

Q1. 최근에 친구에게 설명한 문제 1개를 생각하고, 친구에게 어떻게 설명했는지 말해 보시오.

Q2. 앞으로 자신의 재능을 활용하여 봉사활동을 한다면 어떤 것을 할 수 있다고 생각하는가?

Q3. 자신과 친구, 선생님과의 관계에 대해 기술하고, 가장 기억에 남는 봉사활동을 선택하여 느꼈던 점을 기술하시오.

Q4. 수학에 흥미와 관심을 가지게 된 계기를 구체적으로 기술하시오.

📝 기술 Point

- ✔ 인상적인 1~2가지 경험을 구체적으로 제시하고 무엇을 했는지, 무엇을 느꼈는지, 추후에 어떤 영향을 끼쳤는지 일관성 있게 쓰세요.
- ✔ 꾸준히 활동을 해 오면서 느꼈던 보람과 기쁨 등 자신만이 느낄 수 있었던 감정도 표현해 보세요.

옥스퍼드대학교 마커스 사토이 교수님의 크리스마스 과학콘서트 강연을 들은 적이 있었습니다. 모두 4개 강의가 있었는데 게임의 승리 전략에 관한 강의가 제일 재미있었습니다. 특히, 초콜릿 20개를 한 번에 1개에서 3개까지 가져갈 수 있고 맨 마지막 20번째 초콜릿을 가져가야 승리하는 게임이 있었는데 교수님이 계속 이기셨습니다. 그 이유는 이 게임에는 거꾸로 생각하여 맨 마지막 20번째 초콜릿을 가져가기 위해서 16번째 초콜릿을 가져오면 된다는 승리 전략이 있었기 때문이었습니다.

평소에 승부욕이 강한 저는 그 이후에 수학 보드 게임을 할 때마다 항상 승리 전략을 고민하는 버릇이 생겼고 그 결과 친구들과 보드 게임을 하면 많이 이길 수 있었습니다. 이것을 계기로 수학이 좋아졌고, 어려운 수학 문제를 푸는 것도 즐기게 되었습니다.

어려운 수학 문제를 풀 때는 눈물이 날 정도로 안 풀리고 이해가 되지 않을 때도 있었지만, 그 문제를 꼭 해결하고야 말겠다는 생각으로 계속 집중하여 생각하다 보니 어느 순간 나만의 방법으로 안 풀리던 문제가 풀렸고, 그때의 기분은 말로 표현할 수 없을 정도로 기뻤습니다.

평상시에도 어떤 규칙이나 원리를 찾아내는 것을 좋아하는 저는 영재학급 수업 중 하노이 탑의 규칙도 가장 빨리 찾아내기도 하였습니다.

저는 제 수학 실력이 어느 정도인지 점검해 보고 싶어서 도전했던 수학 경시 대회에서도 좋은 결과를 얻었고, 지금도 틈틈이 어려운 문제를 풀며 즐거움을 느끼곤 합니다.

🗣 면접시 예상질문

Q1. 수학 보드 게임을 1가지 말하고, 자기만의 승리 전략을 설명해 보시오.

Q2. 영재학급 수업에서 가장 기억에 남는 내용은 무엇인가?

Q4. 수학에 흥미와 관심을 가지게 된 계기를 구체적으로 기술하시오.

Q5. 교내(영재학급, 과학영재교육원 포함)에서 참가했던 수학 관련 대회 또는 활동 중 가장 인상 깊었던 과정과 그 내용을 기술하시오.

기술 Point

✔ 참가한 대회 또는 활동명을 적으면서 어떤 상을 수상했느냐 보다는 도전 과정을 비중 있게 쓰세요.

✔ 준비 과정에서 무엇을 느꼈는지, 그리고 어떤 새로운 것을 배웠는지 도전 과정에서 배운 것은 무엇인지 등을 쓰세요.

저는 골드버그 대회에 참가한 적이 있습니다.

과제는 구슬을 여러 가지 장치를 통해 이리 저리 움직이게 하여 결국은 목적지에 도달하게 하는 것이었습니다. 여기서는 창의적인 아이디어와 정해진 시간 안에 장치를 만들고 과제를 성공하는 것이 중요하였습니다.

우리 모둠에서는 어떤 장치들을 설치한 것인지 토의를 통해 설계도를 그리고, 1, 2, 3단계로 나눈 장치들을 둘씩 짝을 지어 만들어 마지막에 그 장치들을 서로 연결하였습니다.

처음에 다 같이 장치를 만들려고 할 때는 우왕좌왕 했는데 단계를 나누어 만드니 자신의 역할이 분명하여 빠르고 정확하게 만들 수 있었습니다.

또, 팀을 이루어 함께 만드니 더 좋은 아이디어들이 많이 나왔습니다.

장치를 모두 완성하고 설레고 떨리는 마음으로 장치를 작동했습니다. 구슬을 실에 매달아 불을 붙여 떨어뜨리는 것을 시작으로 기울어진 여러 막대와 빙글빙글 관을 통과한 후, 소형 자동차를 굴리고 볼링핀을 쓰러뜨려 목적지에 도달하게 하는데 성공하였습니다.

마지막에 볼링핀 하나가 아슬아슬하게 쓰러져 하마터면 실패할 뻔하여 얼마나 떨렸는지 모릅니다.

결국 우리 팀은 2등을 하였지만, 무척 보람되고 자랑스러웠습니다.

면접시 예상질문

Q1. 골드버그 대회에서 장치를 만들 때, 자신은 어떤 역할을 하였는가?

Q2. 이번에 만든 장치에서 부족한 점을 1가지 말하고, 어떻게 개선하면 좋을지 말해 보시오.

Q5. 교내(영재학급, 과학영재교육원 포함)에서 참가했던 수학 관련 대회 또는 활동 중 가장 인상 깊었던 과정과 그 내용을 기술하시오.

Q6. 수학과 관련된 내용을 학교에서 배울 때 가장 흥미로웠던 학습 주제를 소개하고, 그에 관하여 심화해서 배우거나 연구한다면 어떻게 학습할 것인지 간략한 학습 계획을 기술하시오.

✏️ 기술 Point

- ✓ 흥미로웠던 학습 주제에 대해 흥미로웠던 이유와 알게 된 점들을 구체적으로 쓰세요.
- ✓ 학습 계획은 막연한 계획보다는 자신이 실천할 수 있는 방법으로 구체적으로 쓰세요.

학교 수학 시간에 테셀레이션에 대하여 배웠을 때 신기하고 재미있었습니다.

왜냐하면 무심코 지나쳤던 보도 블록, 벽면의 타일에도 수학의 원리가 들어 있었기 때문입니다. 또, 원, 오각형 등으로 벽면을 잘 꾸미지 않는 이유는 테셀레이션이 되지 않기 때문이라는 사실도 알 수 있었습니다.

특히 화가 에셔는 새, 나비, 말, 도마뱀 모양으로 테셀레이션 작품을 만들었는데, 너무 신기하였습니다. 선생님께서는 수업시간에 우리 반 친구들에게 테셀레이션 작품을 각자 만들어 보라고 하셨습니다. 그때 저는 삼각형과 육각형을 붙여 고깔 모자 쓴 행복한 삐에로 모양으로 테셀레이션을 완성하였고, 그것을 보신 선생님께서는 잘했다고 칭찬하시며 게시판에 전시를 해 주셨습니다. 또, EBS에서 알함브라 궁전을 본 적이 있습니다. 그 궁전은 아주 꼼꼼하고 세밀한 장식으로 궁전 곳곳이 테셀레이션 되어 있었는데, 보는 사람들마다 모두 감탄할 정도로 아름다웠습니다. 저는 에셔의 테셀레이션 작품뿐만 아니라 세계 유명한 건축물들의 테셀레이션 작품에 관한 자료를 수집하고 각각의 테셀레이션 제작 원리를 탐구하여 나만의 새롭고 창의적인 테셀레이션 작품을 만들어 볼 것입니다.

💬 면접시 예상질문

Q1. 테셀레이션을 할 수 있는 모양을 만든다면, 어떤 모양으로 만들겠는가? 왜 그렇게 생각했는가?

Q2. 수학이 실생활에서 왜 필요한지 설명해 보시오.

Q6. 수학과 관련된 내용을 학교에서 배울 때 가장 흥미로웠던 학습 주제를 소개하고, 그에 관하여 심화해서 배우거나 연구한다면 어떻게 학습할 것인지 간략한 학습 계획을 기술하시오.

Q7. 자신의 장래희망을 기술하고, 장래희망을 위해 어떻게 노력할 것인지 기술하시오.

📝 기술 Point

✔ 자신의 미래의 목표를 뚜렷하게 쓰세요.

✔ 장래희망을 갖게 된 이유와 그것을 이루기 위해 지금까지 해왔던 노력, 앞으로의 구체적인 학습 계획을 일관성 있게 쓰세요.

✔ 너무 어려운 용어나 거창한 내용, 막연한 내용을 쓰지 마세요.

✔ 미래에 자신의 재능으로 사회에 어떤 기여를 할 수 있는지 고민하여 함께 쓰세요.

앞으로 건축가가 되는 것이 저의 꿈입니다.

아름답고 멋진 건축물이 주변을 더욱 아름답게 만들고 그것을 보고 이용하는 사람들을 행복하게 할 수 있다고 생각하면 기분이 너무 좋습니다.

저는 건축가가 되기 위해서 ○○대 영재교육원에서 심화, 사사과정을 거쳐 영재 학교에 간 뒤 수학과 과학을 더 많이 공부하여 아름답고 튼튼하고 실용적인 건축물을 설계할 것입니다.

저는 건축가가 되기 위해 틈날 때마다 도서관에서 수학, 과학, 공학, 예술 등 여러 분야의 책, 기사, 잡지 등을 보며 여러 가지 공부를 하고 있습니다. 또, 그것에 대해 생각하고 이야기 하는 것을 좋아하며, 이해가 안 되거나 모르는 것이 있으면 부모님과 함께 이야기 하고 찾아봅니다. 또한 다양한 실험도 해 보고 세계 유명한 건축물을 보면서 그 속에 숨어 있는 수학적인 규칙을 찾아보고 수학 일기에 정리합니다.

요즘은 세계 각지에서 지진과 태풍 등 자연 재해가 종종 일어나 많은 사람들의 목숨을 위협하고 있습니다. 그래서 저는 지진, 태풍과 같은 자연 재해에도 건물을 안전하게 보호할 수 있는 내진 설계, 힘의 분산과 같은 물리적인 법칙도 공부하여 견고한 건축물을 만들 것입니다.

또, 세계에서 가장 견고하고 아름답고 다양한 기능이 있어 실용적인 최고의 명품 건축물도 설계할 것입니다.

🎤 면접시 예상질문

Q1. 건축가는 우리 사회에 어떤 부분에서 기여를 할 수 있다고 생각하는가?

Q2. 세계 유명한 건축물에서 발견한 수학적인 규칙을 1개 설명해 보시오.

Q7. 자신의 장래희망을 기술하고, 장래희망을 위해 어떻게 노력할 것인지 기술하시오.

Q8. 본인이 수학 영역에 지원하기 전까지 이 분야와 관련된 책 중 가장 많은 성취감을 얻은 도서 1권을 선정하고, 이 책을 통해 배운 내용 또는 영향 받은 내용을 기술하시오.

기술 Point

✔ 느낌 없이 줄거리만 나열하지 마세요.

✔ 책을 읽고 느끼고 생각한 점, 깨달은 점, 본받을 점 등을 쓰세요.

✔ 앞으로 자신의 장래희망과 학업 계획, 하고 싶은 일 등과 연결하여 써 보세요.

선정 도서 : 건축 속 재미있는 과학이야기

저자/역자 : 이재인

저는 이 책을 통해서 제 꿈에 대해서 많은 생각을 하게 되었습니다. 건축 속에 숨어 있는 과학적인 원리를 발견하여 설명해 줌과 동시에, 세계 유명한 건축물들을 예로 들어 역사와 함께 재미있게 설명하는 이 책은 세계에서 가장 견고하고 아름다운 건축물을 만들겠다는 나의 꿈에 한 발짝 더 가까이 가는 데 큰 도움을 주었습니다.

건축물은 단지 하나의 구조물에 불과한 것이 아니라 도시라는 전시장 안에 전시된 작품으로서의 역할뿐만 아니라 그 안의 사람들이 장기간 거주할 수 있는 기술이 필요하고, 주변 환경, 자연 환경과도 밀접한 관련이 있다는 사실을 알 수 있었습니다.

또한 바람, 소리, 진동, 빛, 열 등 제가 미처 생각하지 못한 많은 것들이 건축물을 설계할 때에는 고민되어야 한다는 사실을 알게 되었습니다.

저는 미래에 건축물을 설계할 때 수학과 과학의 원리를 이용하여 견고하고 다양한 기능을 가진 건축물을 설계할 것입니다.

면접시 예상질문

Q1. 읽은 내용 중 가장 인상 깊었던 내용은 무엇인가?

Q2. 자신이 미래에 설계할 건축물을 1개 정하고, 그 건축물을 설계할 때 가장 중요한 것은 무엇인지, 그것을 고려하여 어떻게 설계할 것인지 설명해 보시오.

Q8. 본인이 수학 영역에 지원하기 전까지 이 분야와 관련된 책 중 가장 많은 성취감을 얻은 도서 1권을 선정하고, 이 책을 통해 배운 내용 또는 영향 받은 내용을 기술하시오.

03 자기소개서 작성 후 체크 사항

자기소개서를 다 작성한 후에는 다음 사항들을 체크하며, 여러 번 읽어 보고 수정 보완합니다.

✔ 각 질문에 적합한 핵심 사항이 들어있습니까?

✔ 구체적인 사례를 들어 스토리 있게 작성했습니까?

✔ 자신을 설명하는 몇 가지의 키워드가 있고 그것들이 서로 연결되어 있습니까?

✔ 전체적으로 내용의 일관성이 있습니까?

✔ 전체적으로 글이 매끄럽게 읽혀집니까?

✔ 제시된 〈자기소개서 작성시 주의 사항〉을 잘 지켜 작성했습니까?

✔ 문체가 통일되어 있습니까?

✔ 띄어쓰기와 맞춤법이 틀린 곳은 없습니까?

2단계는 영재 담당 선생님이 담임 선생님으로부터 추천 받은 학생의 영재성을 파악하기 위해 담임 선생님과 수시로 대화, 면담을 통해 학생에 대한 의견을 수집·분석하며 영재성 진단 도구(영재성 검사, 창의적 문제해결력 검사) 등을 활용하여 학생의 영재성을 평가합니다.

(1) 관찰추천위원회가 학생의 수업 태도 및 수행 과제 점검
(2) 창의력, 문제해결력, 리더십, 봉사정신, 타인과의 의사소통 능력 등 잠재 역량과
    성장 가능성을 다면적으로 면밀히 검토하여 평가

시 기	일 정	내 용	자 료
10월	행동 특성 체크리스트	• 영재 행동 특성 검사, 창의성 검사, 과제 동기 행동 검사, 리더십 특성 검사, 특수학업 적성 검사	선발도구 2-1 ~ 선발도구 2-5
	영재성 여부 판단	• 영재성 검사 • 창의적 문제해결력 검사	
	영재교육 대상자 최종 추천	• 학교추천위원은 각종 평가 및 체크리스트의 점수를 합산한 후 환산하여 단위학교 영재교육 추천 학생 최종 선정	

2

관찰 대상자
집중 관찰

Part 1 | 영재성 검사   Part 2 | 창의적 문제해결력 검사

1. 영재 행동 특성 검사 선발도구 2-1

영재 행동 특성 검사

( )학년 ( )반 이름 : _____

※ 학생의 평소 행동 특성을 가장 잘 나타낸다고 생각되는 곳에 ✔표 해 주십시오.

행동 특성	미흡		보통		우수	
	1	2	3	4	5	6
1. 높은 수준의 어휘를 사용하고 깊이 있는 사고를 할 줄 한다.						
2. 새로운 정보에 대한 이해가 빠르다.						
3. 관심 영역에 대해 많은 정보를 가지고 있다.						
4. 관심 분야에 대하여 호기심을 가지고 적극적으로 사고하고 탐구한다.						
5. 상황에 대하여 정확하고 비판적으로 판단할 줄 안다.						
6. 어떤 상황이나 현상에 대해 인과 관계를 빨리 파악한다.						
7. 오랫동안 한 가지 일에 지속적으로 집중한다.						
8. 사실적인 정보에 대한 기억력이 우수하고 숙달하는 속도가 빠르다.						
9. 혼자서 독립적으로 학습하기를 좋아한다.						
10. 구조화되지 않은 융통성 있는 과제를 해결하기 좋아한다.						
11. 감각(시각, 청각, 촉각, 신체・운동적)을 활용해서 학습하기를 좋아한다.						
12. 높은 자존감을 가지고 독립적으로 의사결정 하기를 좋아한다.						
13. 성패에 상관없이 스스로 문제를 해결하고 그 결과에 책임을 진다.						
14. 사회 정의에 관심을 가지고 다른 사람의 상황에 대해서 이해하려고 한다.						
15. 새로운 상황에 도전하기를 좋아하고 변화를 두려워하지 않는다.						
16. 어떤 문제에 대해서 유머 감각을 가지고 즐겁게 접근하는 자세를 보인다.						
17. 상상력이 풍부하고 공상하기를 좋아한다.						
18. 독창적인 방식으로 문제를 해결하는 능력이 뛰어나다.						
19. 다른 아동들이 도움을 요청한다.						
20. 규칙을 만들고 집단 활동을 이끈다.						

소계	
총합	

2. 창의성 검사 선발도구 2-2

창의성 검사

( )학년 ( )반 이름: _____

※ 학생의 평소 행동 특성을 가장 잘 나타낸다고 생각되는 곳에 ✔표 해 주십시오.

행동 특성	미흡		보통		우수	
	1	2	3	4	5	6
1. OO는 처음 보는 물건을 보면 그것이 어떻게 작동하는지 알고 싶어한다.						
2. OO는 혼자 있을 때 무슨 일을 해야 할지 스스로 알아서 한다.						
3. OO는 엉뚱한 말로 주위 사람들을 잘 웃기곤 한다.						
4. OO는 모르는 문제가 있으면 그것을 알 때까지 파고든다.						
5. OO는 종종 게임의 규칙을 바꾸는 것도 잘 받아들인다.						
6. OO는 궁금한 것이 많다.						
7. OO는 다른 나라 친구와 사귀고 싶어한다.						
8. 비록 실패하거나 잘못할지라도, OO는 정말 하고 싶은 일이면 도전한다.						
9. OO는 자신의 능력을 믿으며 스스로를 자랑스럽게 여긴다.						
10. OO는 쉬운 문제보다는 어려운 문제를 더 좋아한다.						
11. OO는 한 번 마음먹은 일은 어떤 어려움이 있더라도 끝까지 해내고 만다.						
12. OO는 유머감각이 꽤 있다.						
13. OO는 더 나은 생각이나 아이디어라고 생각되면 곧 받아들인다.						
14. OO는 '만약 ~라면 어떻게 될까?'라는 생각을 자주 한다.						
15. OO는 남들이 당연하게 보는 것도 그냥 지나치지 않고 의문을 갖는다.						
16. OO는 자신의 커다란 꿈이나 희망을 이룰 자신감이 있다.						
17. OO는 다른 사람들이 뭐라고 해도 스스로를 믿는다.						
18. OO는 이야기 속의 주인공이 되어 상상해 보기를 좋아한다.						
19. OO는 '옛날에는 어떻게 살았을까?'라는 생각을 자주 한다.						
20. 친구들은 OO의 행동이나 말에 대해 재미있어 한다.						
소계						
총합						

3. 과제 동기 행동 검사 선발도구 2-3

과제 동기 행동 검사

( )학년 ( )반 이름 : _____

※ 학생의 평소 행동 특성을 가장 잘 나타낸다고 생각되는 곳에 ✔표 해 주십시오.

행동 특성	미흡		보통		우수	
	1	2	3	4	5	6
1. 어떤 일을 할 때 일이 제대로 될 때까지 끝까지 매달린다.						
2. 과제를 할 때 너무 집중해서 다른 일들을 잊어버리기도 한다.						
3. 자신에 대한 기대치가 높은 편이다.						
4. 자기가 한 일을 끊임없이 평가한다.						
5. 다양한 분야에 흥미를 가지고 있다.						
6. 상황이나 사건의 분위기를 알아차리고 잘 적응한다.						
7. 새로운 내용과 이미 알고 있는 것과 관련성을 잘 찾는다.						
8. 이해하지 못한 채 그냥 외우지 않는다.						
9. 쉬운 문제보다 어려운 문제에 집중한다.						
10. 수학(과학)을 공부하는 것은 나에게 중요한 의미를 지닌다.						
11. 집중하기 위해 주위의 환경을 변화시킨다.						
12. 모르는 것이 있으면 주변사람에게 묻는 것이 어색하지 않다.						
13. 스스로 해결하지 못하면 주변사람의 도움을 받아 해결한다.						
14. 화를 잘 내고 민감한 편이다.						
15. 어떤 일이 잘못되더라도 실망하지 않고 다시 시작한다.						
16. 빠른 시간 내에 문제의 핵심에 주의력을 집중한다.						
17. 계획하는 것을 좋아하고 오랫동안 실천할 수 있다.						
18. 다른 사람에게 자신의 생각을 표현하는 것을 두려워하지 않는다.						
19. 위험한 일이나 흥분되는 일을 시도한다.						
20. 완벽하려고 애쓴다.						
소계						
총합						

4. 리더십 특성 검사 선발도구 2-4

리더십 특성 검사

( )학년 ( )반 이름 : _____

※ 학생의 평소 행동 특성을 가장 잘 나타낸다고 생각되는 곳에 ✔표 해 주십시오.

행동 특성	미흡		보통		우수	
	1	2	3	4	5	6
1. OO는 자신의 능력을 믿으며 스스로를 자랑스럽게 여긴다.						
2. OO는 계획을 세우면, 계획대로 추진해 나간다.						
3. OO는 여러 가지 대안들 중 적절한 것을 잘 선택한다.						
4. OO는 불이익이 되더라도 사람들과 약속한 것은 지킨다.						
5. OO는 현재의 상황에서 할 수 있는 최선을 다해 맡은 일을 해낸다.						
6. OO는 자신의 생각을 다른 사람에게 분명하고 조리 있게 말할 수 있다.						
7. OO는 그룹 활동을 할 때 다른 사람들과 뜻을 잘 맞추면서 한다.						
8. OO는 누가 감독하지 않아도 최선을 다해 해야 할 일들을 한다.						
9. OO는 일을 행할 때 각 구성원에게 책임을 적절하게 맡기는 편이다.						
10. OO가 제시한 의견을 다른 사람들이 잘 받아들인다.						
11. OO는 다른 사람의 의견을 들을 때 그 사람의 입장을 이해하려고 노력한다.						
12. OO는 아무리 친한 사이라도 잘못한 것은 잘못했다고 지적한다.						
13. OO는 아무리 원하는 일이라도 수단과 방법이 옳지 않으면 하지 않는다.						
14. OO는 본인이 느끼는 바를 말로 잘 표현하는 편이다.						
15. OO는 그룹 활동을 할 때 알고 있는 지식이나 정보를 친구들과 공유한다.						
16. OO는 친구들의 자신감을 북돋워준다.						
17. OO는 어떤 일에 궁금함을 잘 느낀다.						
18. OO는 자신의 능력 계발을 위해 계획을 세우고 실천하고 있다.						
19. OO는 새로운 것을 접하면 그것이 무엇인가 알기 위해 관련 정보를 찾아본다.						
20. OO는 다른 사람들에게 도움이 되는 일을 하면서 살고 싶어 한다.						
소계						
총합						

5. 특수 학업 적성 검사 　선발도구 2-5

특수 학업 적성 검사

(　　)학년 (　　)반　이름 : _____

※ 학생의 평소 행동 특성을 가장 잘 나타낸다고 생각되는 곳에 ✔표 해 주십시오.

행동 특성	미흡		보통		우수	
	1	2	3	4	5	6
1. 도전적인 수학 퍼즐, 게임 및 논리 문제를 좋아한다.						
2. 수학의 패턴을 파악하기 위해 자료나 정보를 잘 조직한다.						
3. 창의적인 방식으로 수학 문제를 해결한다.						
4. 문제에서 수학적 구조를 분석하는데 흥미를 가지고 있다.						
5. 새롭고 어려운 수학 문제를 해결하는데 도전의식을 가지고 있다.						
6. 수학 공식이나 개념을 이해하는 속도가 또래보다 빠르다.						
7. 수학적 언어(용어, 기호, 수식, 그림 등)를 유창하게 사용한다.						
8. 수학 문제를 해결할 때 적절하거나 필요하다면 쉽게 전략을 바꾼다.						
9. 구체적인 자료의 도움이나 조작 없이도 추상적으로 수학 문제를 해결한다.						
10. 수학적 감각이 뛰어나다.(예 큰 수와 작은 수를 감지하고 쉽게 연상함)						

소계						
총합						

※ 일화 기록 (3건 이상)

순번	관찰 내용
1	
2	
3	

Part 1

영재성 검사

전략 Point

그림 완성하기는 주어진 도형을 사용하거나 미완성 상태의 그림을 완성하는 것입니다.

❶ 제목

• 제목이 적절하게 상징적으로 표현되도록 합니다.

예

제목	물고기	어항 속의 물고기	물고기 '나모'	고독
점수	0점	1점	2점	3점

• 제목에 감정, 상상, 유머 등이 표현되도록 합니다.

예

제목	산타크로스	하늘을 나는 산타크로스	루돌프 꼬리에 매달린 산타크로스
점수	0점	2점	3점

• 제목에 따옴표, 느낌표, 물음표 등의 문장 부호를 쓰도록 합니다.

❷ 그림

• 그림은 최소 기본 요소 이외에 부수적으로 세부 묘사도 합니다.

예

최소 기본 요소	세부 묘사(아이디어 1개)
얼굴	콧구멍, 주근깨, 보조개, 안경, 귀걸이, 치아는 개수마다 아이디어 1개로 봄.

• 그림 속에 특수 효과, 움직임의 표현, 기본 그림 주위의 세부 상황 등이 표현되도록 합니다.

예 바람 : 　　　　물결 : 　　　　움직임 :

• 그림 속에서 ① 기쁨, 화남 등의 감정, ② 웃음이 나오는 상황, ③ 냄새, 소리 등의 감각의 사용, ④ 상상 속의 동물 또는 동물의 의인화 등을 표현하도록 합니다.

다음 삼각형 6개를 모두 사용하여 새로운 그림을 그리고, 그림의 제목을 쓰시오.
(이때, 삼각형 모양은 돌릴 수 있습니다.) 기출 문제

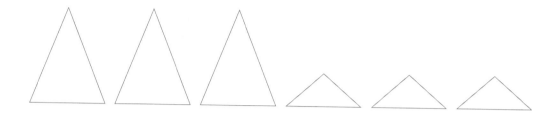

제목 : _____

관련 사고 능력	점수
융통성 (3점) / 정교성 (2점) / 정서적 민감성 (5점)	10점

친구의 답안을 어떻게 채점하였는지 살펴봅시다.

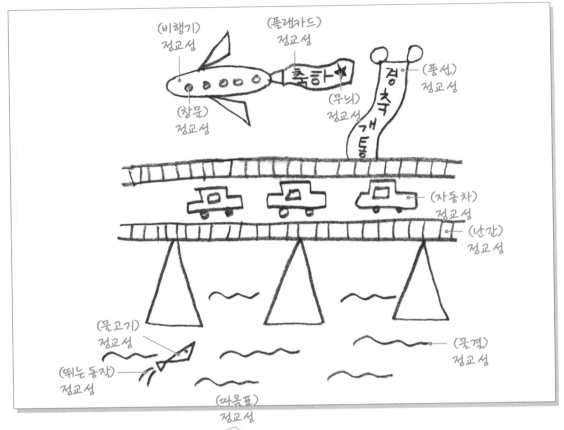

(비행기) 정교성
(플랜카드) 정교성
(풍선) 정교성
(창문) 정교성
(무늬) 정교성
(자동차) 정교성
(난간) 정교성
(물고기) 정교성
(물결) 정교성
(뛰는 동작) 정교성
(따옴표) 정교성

제목 : " 경축 " 한 마음 머교 개통

(감점) 정서적민감성 1점
(새로 만든 이름) 융통성 2점

아이디어(11개) : 3점
융통성 : 2점
정서적민감성 : 1점
6점

채점 POINT

❶ 이 작품에는 주어진 도형만으로 그림을 그리지 않고 기본 요소 이외의 부분들도 그리는 융통성과 정교성이 잘 나타나고 있습니다. 특히, 물결의 표시, 물고기의 역동적인 모습 등에서 정교성이 두드러지게 나타나고 있습니다.

❷ 그러나 정서적 민감성의 표현은 조금 아쉽습니다. 다리 개통을 즐거워하는 사람들의 표정이나 상상 속의 자동차 등의 요소들을 더 그렸더라면 더 높은 점수를 받을 수 있습니다.

❸ 아이디어의 개수에 따라 채점합니다.

아이디어의 개수	점수
1 ~ 5개	1점
6 ~ 10개	2점
11 ~ 15개	3점
16 ~ 20개	4점
21개 이상	5점

연습|01   다음 친구의 작품 중에서 다른 사람과 다르게 표현한 부분을 찾아 이야기해 보고, 더 추가하여 그리면 좋을 부분을 찾아 그리시오.

제목 :   먹이 사슬

다른 사람과 다르게 표현한 부분

① _____

② _____

③ _____

연습|**02** 자신이 조물주가 되어 세상에 하나 밖에 없는 아주 독특한 물고기를 만든다면 어떤 물고기를 만들겠습니까? 아래에 그려진 물고기의 꼬리를 그대로 이용하여 새로운 물고기를 그려 보시오. 또, 자신이 만든 물고기에 대해 이야기해 보고, 이름도 지어 보시오.

물고기 이름 : _____

그림 설명

_____

_____

_____

연습|03 다음 도형을 <u>모두</u> 사용하여 새로운 그림을 그리고, 그림의 제목을 쓰시오.

제목 :

실전 01 영미가 그림을 그리다가 잠이 들어 그림을 완성하지 못했습니다. 아래 영미가 그리다가 만 그림을 완성하고, 그림의 제목을 쓰시오. 기출 문제

제목 : _____

실전 02 나는 유명한 사람입니다. 그래서 사람들이 나를 기념하기 위해 동상을 세운다고 합니다. 동상을 그림으로 그리고, 그 밑에 내가 어떻게 해서 유명해졌는지를 알리는 문구를 적으시오.

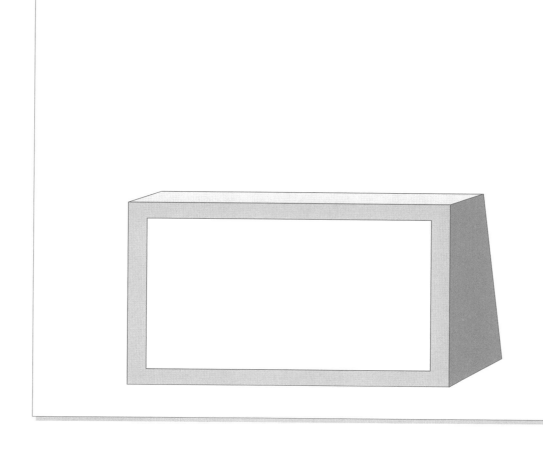

창의성 ② 같은 모양 찾기

같은 모양 찾기는 우리 주위에서 볼 수 있는 물건 또는 물건의 부분적인 특징에서 주어진 모양을 찾는 것입니다.

❶ 아이디어의 개수로 점수를 부여하므로 가능한 많은 아이디어를 적습니다.

❷ 같은 아이디어가 반복되는 경우에는 그 아이디어들은 1개로 평가합니다.
　예 공을 담는 통, 장난감을 담는 통

❸ 논리적으로 맞지 않는 경우에는 아이디어로 평가하지 않습니다.
　예 사각형을 닮은 모양의 예로 '보름달'이라고 쓴 경우

우리 주위에서 찾아볼 수 있는 삼각형 모양을 가능한 많이 찾아 쓰시오. 기출 문제

① _____

② _____

③ _____

④ _____

⑤ _____

⑥ _____

⑦ _____

⑧ _____

⑨ _____

⑩ _____

⑪ _____

⑫ _____

⑬ _____

⑭ _____

⑮ _____

⑯ _____

⑰ _____

⑱ _____

⑲ _____

⑳ _____

㉑ _____

㉒ _____

㉓ _____

㉔ _____

㉕ _____

㉖ _____

㉗ _____

㉘ _____

㉙ _____

㉚ _____

2
단계

영재성
검사

창의적 문
해결력 검

친구 답안

친구의 답안을 어떻게 채점하였는지 살펴봅시다.

관련 사고 능력 / 유창성 (5점) / 점수 5점

✓ (삼각 + 물건)

① 삼각김밥
② 삼각 수영복
③ 삼각팬티
✓ ④ 트라이앵글
✓ ⑤ 지하철손잡이
✓ ⑥ 샌드위치
✓ ⑦ 자전거안장
✓ ⑧ 때지어 나는 걸새떼
✓ ⑨ 에펠탑
✓ ⑩ 카메라 다리
✓ ⑪ 꽃삽

✓ ⑫ 산 ← 흔한소재
✓ ⑬ 삼각턱
✓ ⑭ 인징어머리
✓ ⑮ 우산
✓ ⑯ 고양이 귀
✓ ⑰ 크리스마스트리
✓ ⑱ 꼬깔모자
⑲ 피자조각 ← 흔한소재
✓ ⑳ 성인에 코 양
㉑ 피라미드 ← 흔한소재
㉒ 오디오 시작버튼

아이디어(17개) : 3점

채점 POINT

❶ '삼각+물건'의 명칭을 가진 아이디어 (예 삼각김밥, 삼각팬티 등), 누구나 쉽게 삼각형 모양을 떠올릴 수 있는 아이디어 (예 피라미드, 산, 피자 조각 등)는 개수에 상관없이 각각 1개의 아이디어로 평가합니다.

❷ 물건 전체의 특징이 삼각형과 관련된 것 이외에도 물건의 부분적인 특징에서 삼각형인 부분을 찾아 충분히 많은 아이디어를 적도록 합니다.

❸ 아이디어의 개수에 따라 채점합니다.

아이디어의 개수	점수
1 ~ 5개	1점
6 ~ 11개	2점
12 ~ 18개	3점
19 ~ 26개	4점
27개 이상	5점

연습|01 다음 분류대로 우리 주위에서 찾아볼 수 있는 사각형 모양을 많이 적어 보시오.

사각+물건

흔한 사각형 모양

동물, 식물

인간이 만든 물건

기타

연습|02 '하늘'이라는 단어에서 생각나는 것을 <u>모두</u> 찾아 쓰시오.

① _____

② _____

③ _____

④ _____

⑤ _____

⑥ _____

⑦ _____

⑧ _____

⑨ _____

⑩ _____

⑪ _____

⑫ _____

⑬ _____

⑭ _____

⑮ _____

⑯ _____

⑰ _____

⑱ _____

⑲ _____

⑳ _____

㉑ _____

㉒ _____

㉓ _____

㉔ _____

㉕ _____

㉖ _____

㉗ _____

㉘ _____

㉙ _____

㉚ _____

연습│03 사람은 감정에 따라서 다양한 얼굴 표정을 짓습니다. 사람들의 여러 가지 표정을 그리고, 표정의 제목을 써 보시오.

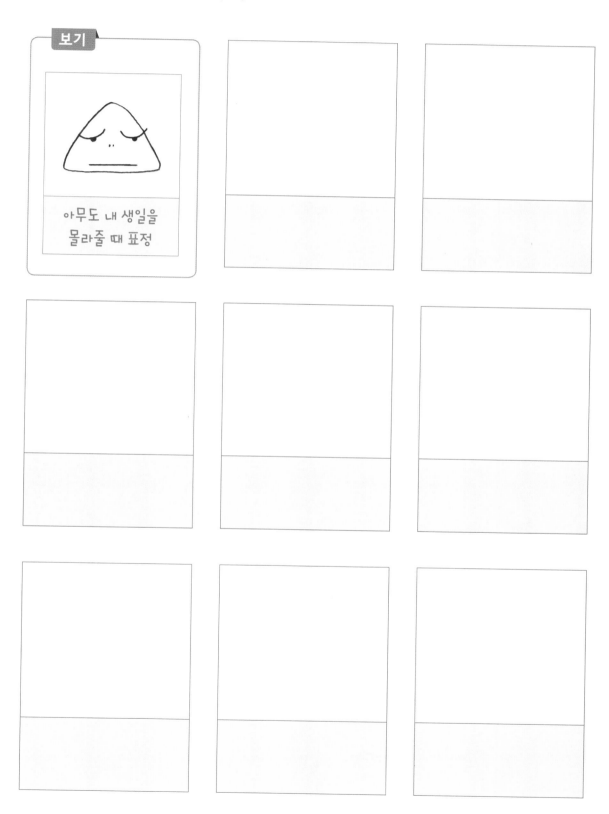

실전 01 다음 보기와 같이 그림을 보고 생각나는 것을 많이 그리고, 제목을 쓰시오.

보기

제목 : 텔레비전

제목 :

제목 :

제목 :

제목 :

제목 :

제목 :

제목 :

제목 :

실전 02 달걀 또는 알이 답이 될 수 있는 문제를 가능한 <u>많이</u> 만드시오. **기출 문제**

① _____

② _____

③ _____

④ _____

⑤ _____

⑥ _____

⑦ _____

⑧ _____

⑨ _____

⑩ _____

창의성 ③ 관련성 찾기

 전략 Point

관련성 찾기는 두 물건의 공통점, 차이점, 유사점 등을 찾는 것입니다.

❶ 아이디어의 개수로 점수를 부여하므로 가능한 많은 아이디어를 적습니다.

❷ 외형적인 면의 관련성을 찾는 것보다 기능적인 면과 감정적인 면의 관련성을 찾는
경우에 보너스 점수를 얻을 수 있습니다.

예 걸레와 지우개의 공통점

– 다른 물건을 깨끗하게 하고, 자기는 지저분해진다. (기능적인 공통점)

– 잘못된 것을 바르게 하는 선생님과 같다. (감정적인 공통점)

❸ 같은 아이디어가 반복되는 경우에는 그 아이디어들은 1개로 평가합니다.

❹ 질문과 관계가 없는 경우에는 아이디어로 평가하지 않습니다.

예 공통점이 많다.

다음 그림에 있는 두 물건의 새롭고 다양한 공통점을 가능한 많이 찾아 쓰시오. 기출 문제

(1)

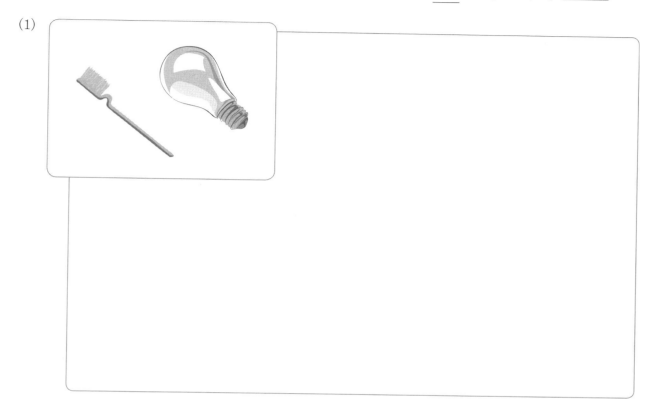

(2)

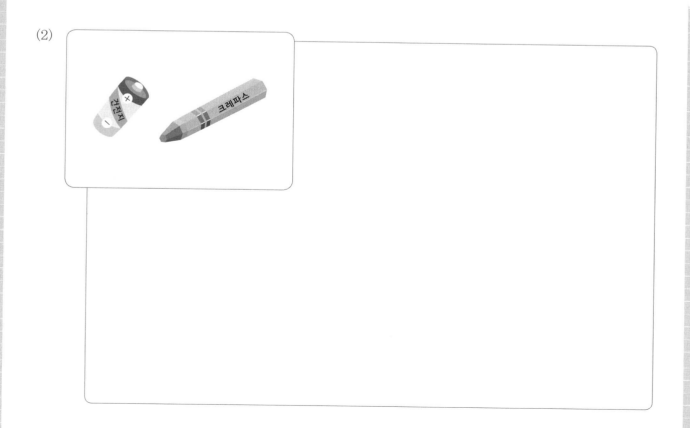

친구 답안

친구의 답안을 어떻게 채점하였는지 살펴봅시다.

관련 사고 능력	점수
융통성 (6점) / 독창성 (4점)	10점

(1)

아이디어(11개) : 3점
독창성(기능) : 3점
6점

밝게 한다 (이를 하얗게, 어둠을 밝게) ← 기능
혼자서는 못쓴다 (칫솔은 치약과, 전구는 전기와) ← 기능
바닥에 떨어뜨리면 곤란하다 ← 외형
우리가 매일 사용하는 물건이다 ← 외형
크기가 다양하다 (어린이용 칫솔, 꼬마 전구) ← 외형
벽을 수 없다 ← 외형
가볍다 ← 외형
수명이 있다 ← 기능
화장실에 있다 ← 외형
조선시대에는 없었던 물건이다 ← 외형
공장에서 만든다 ← 외형

(2)

아이디어 (11개) : 3점
독창성(강점) : 1점
4점

쓰면 쓸수록 닳는다 ← 외형
앞과 뒤가 있다 ← 외형
콧구멍에 넣을수 있다 ← 외형
문구점에 가면 살 수 있다 ← 외형
물건에 주의 사항이 적혀 있다 (먹지마시오, 입에 대지 마시오) ← 외형
크기가 다양하다 ← 외형
바깥이 무엇인가로 싸여 있다 ← 외형
(크레파스는 종이, 건전지는 알루미늄)
굴리면 좀 굴러간다 ← 외형
딱딱하다 ← 외형
공장에서 만든다 ← 외형
내 동생 민구가 좋아하는 물건이다 ← 감정

채점 POINT

❶ 외형적인 면의 공통점은 잘 찾았습니다. 그러나 기능적인 면과 감정적인 면의 공통점을 조금 더 찾았으면 하는 아쉬움이 있습니다.

❷ 기능적인 면과 감정적인 면의 공통점을 찾으면 독창성의 점수를 얻을 수 있습니다.

❸ 아이디어의 개수에 따라 채점합니다.

아이디어의 개수	점수
1 ~ 5개	1점
6 ~ 10개	2점
11개 이상	3점

연습|01 두 물건의 새롭고 다양한 공통점을 가능한 <u>많이</u> 찾아 쓰시오.

지우개

비누

① _____

② _____

③ _____

④ _____

⑤ _____

⑥ _____

⑦ _____

⑧ _____

⑨ _____

⑩ _____

⑪ _____

⑫ _____

⑬ _____

⑭ _____

⑮ _____

⑯ _____

⑰ _____

⑱ _____

⑲ _____

⑳ _____

2
단계

영재성
검사

창의적 문
해결력 검

연습|**02** 다음 보기와 같이 문장을 만들어 서로 연결되도록 가능한 <u>많이</u> 만들어 보시오.

> **보기**
>
> 원숭이 엉덩이는 빨개 → 빨간건 사과 → 사과는 백설공주
> → 백설공주는 예뻐 → 예쁜건 태희 → …

• 맛있으면 바나나 →

연습 **03** 서로 비슷한 점이나 연상 등을 이용하여 전혀 관련이 없어 보이는 낱말들을 [보기]와 같이 연결할 수 있습니다. 처음 낱말과 끝의 낱말이 서로 연결될 수 있도록 □ 안에 들어갈 단어를 <u>많이</u> 쓰시오.

> **보기**
>
> 토끼 — [뽀송뽀송, 하얗다] — 수건

(1) 운동장 — [   ] — 바다

(2) 책 — [   ] — 어머니

(3) 시험 — [   ] — 선물

(4) 슬프다 — [   ] — 편지

(5) 밥 — [   ] — 병원

(6) 월드컵 — [   ] — 양말

실전 01 다음에 나오는 각 단어들이 서로 깊은 관계를 맺도록 하나의 장면으로 묶어서 외우기
쉽도록 그리고, 그림을 설명하시오.

사과나무, 물고기, 수박, 풍선, 톱

그림 설명

실전 02 다음 **보기** 와 같이 '출발 단어'에서 연상되는 단어를 많이 써서 '도착 단어'까지 연결하여 보시오.

보기

출발 단어 : 연필

도착 단어 : 우리 이모

출발 단어 : 동굴

도착 단어 : 게임

전략 Point

기발한 아이디어는 남들이 쉽게 생각하지 못하는 특별한 해결 방법을 생각하여 주어진 문제를 해결하는 것입니다.

❶ 아이디어의 개수로 점수가 부여되므로 가능한 많은 아이디어를 적습니다.

❷ 독창적인 것이 포함되어 있으면 보너스 점수를 얻을 수 있습니다.

❸ 해결 방법이 합리적이고 어느 정도 현실적으로 가능한 것이어야 합니다.

❹ 남들이 쉽게 생각할 수 있는 것은 아이디어로 평가하지 않습니다.

❺ 같은 아이디어가 반복되는 경우에는 그 아이디어는 1개로 평가합니다.
　예 손으로 냉장고 문을 연다, 발로 냉장고 문을 연다.

자신의 손과 팔(어깨부터 손가락 끝까지)을 냉장고에 직접 대지 않고 냉장고 문을 열 수 있는 방법을 가능한 많이 쓰시오. 기출 문제

① _____

② _____

③ _____

④ _____

⑤ _____

⑥ _____

⑦ _____

⑧ _____

⑨ _____

⑩ _____

⑪ _____

⑫ _____

⑬ _____

⑭ _____

⑮ _____

2
단계

영재성
검사

창의적 문
해결력 검

친구 답안

친구의 답안을 어떻게 채점하였는지 살펴봅시다.

✔ ① 엄마, 아빠에게 열어 달라고 한다. ● 다른 사람의 힘

✔ ② 다리를 이용해서 연다. ● 신체 사용

③ 누군가 열 때까지 기다린다. ● 다른 사람의 힘(중복)

✔ ④ 냉장고를 넘어뜨려 연다

✔ ⑤ 리모컨이 되는 냉장고를 사서 발가락으로 누른다 ● 기능향상

✔ ⑥ 냉장고 안에 큰 풍선을 넣어두고 부는 부분을 냉장고
밖으로 나오게 하여 열고 싶을 때, 풍선을 분다. ● 독창성

⑦ 음성인식 냉장고를 개발해서, "열려라"라고 하면 자동으로
열리는 기능이 되게 한다 ● 기능향상(중복)

✔ ⑧ 개를 훈련시켜서 개에게 열게 한다 ● 동물의 힘

⑨ 옷걸이 윗부분을 냉장고 손잡이에 걸어서 당겨서 연다 ● 도구 사용(중복)

⑩ 동생에게 냉장고 안에 맛있는 케이크가 들어있다고
속여 열게 한다. ● 다른 사람의 힘(중복)

⑪ 냉장고 문에 대형 자석을 붙여 자석을 당겨서 연다 ● 도구 사용(중복)

⑫ 문이 안 열린다고 서비스 센터를 부른다 ● 다른 사람의 힘(중복)

✔ ⑬ 대형 마트의 문없는 냉장고처럼 냉장고를 변해해서
문을 없애버린다

아이디어(7개) : 2점
독창성   : 1점
              3점

채점 POINT

❶ 방법을 많이 썼으나 '같은 아이디어'가 반복되고 있어, 점수를 더 많이 받지 못해 아쉽습니다. 그러나 독창적인 아이디어가 있어 보너스 점수를 얻을 수 있습니다.

아이디어의 개수	점수
1 ~ 5개	1점
6 ~ 10개	2점
11 ~ 15개	3점

❷ 아이디어의 개수에 따라 채점합니다.

연습|01 바람이 심하게 불어서 모자가 자꾸 날아가려고 합니다. 손과 팔을 사용하지 않고 모자가 날아가지 않게 하는 방법을 다음 분류대로 가능한 <u>많이</u> 쓰시오.

신체 일부를 사용

도구를 사용

동물, 식물을 사용

다른 사람의 도움

기타

연습 | 02 다음 이야기를 읽고, 물음에 답하시오.

> 여우가 두루미를 저녁 식사에 초대했습니다. 두루미는 맛있는 요리를 먹을 수 있다는 기대에 부풀어 음식이 나오기를 기다렸습니다. 그런데 여우는 넓적한 접시 위에 고깃국을 내어 왔습니다. 두루미의 부리는 길쭉하고 뾰족하여 접시 위의 고깃국을 먹기 힘듭니다.

(1) 두루미가 접시의 고깃국을 먹을 수 있는 방법을 <u>여러 가지</u> 적어 보시오.

① _____

② _____

③ _____

④ _____

> 이번에는 두루미가 여우를 저녁 식사에 초대했습니다. 두루미는 여우에게 복수를 하기 위해 길쭉한 병 속에 맛있는 생선을 넣어서 나왔습니다.

(2) 여우가 병 속의 생선을 먹을 수 있는 방법을 <u>여러 가지</u> 적어 보시오.

① _____

② _____

③ _____

④ _____

연습 | 03 '낙타가 바늘 구멍에 들어가기'라는 속담이 있습니다. 이는 굉장히 하기 어려운 것을 비유하는 말입니다. 낙타가 진짜로 바늘 구멍에 들어가려면 어떻게 해야 하는지 상상력을 발휘하여 <u>여러 가지</u> 방법을 찾아 쓰시오.

① _____

② _____

③ _____

④ _____

⑤ _____

⑥ _____

⑦ _____

⑧ _____

⑨ _____

⑩ _____

실전 01 1000원으로 방안을 가득 채울 수 있는 물건을 사려고 합니다. 무엇이 좋을지 여러 가지 찾아 쓰시오.

① _____

② _____

③ _____

④ _____

⑤ _____

⑥ _____

⑦ _____

⑧ _____

⑨ _____

⑩ _____

실전 02 오랫동안의 공사 끝에 커다란 굴뚝이 완성되었습니다. 사람들은 굴뚝 공사를 위해 설치했던 작업대를 철거하고 있었습니다. 굴뚝 꼭대기에는 아직 한 사람이 작업을 하고 있었고, 그 사람은 밧줄을 타고 내려오기로 되어 있었습니다. 그런데 그만 밧줄을 꼭대기에 남겨놓지 않은 채 다른 사람들은 다 내려와 버렸던 것입니다. 큰일났습니다. 뛰어내릴 수도 없는 높은 굴뚝입니다. 어떻게 하면 밧줄을 굴뚝 꼭대기까지 올려보낼 수 있을까요? 그 방법을 <u>여러 가지</u> 적어 보시오.

① _____

② _____

③ _____

④ _____

⑤ _____

⑥ _____

⑦ _____

⑧ _____

⑨ _____

⑩ _____

언어적 사고력 ① 언어의 규칙

언어의 규칙은 2가지 이상의 정보가 어떤 유사성, 공통점, 차이점을 갖고 있는지 관계를 파악하는 능력을 보는 것입니다.

❶ 2가지 이상의 정보, 대상 사이에 어떤 공통점과 차이점이 있는지 살펴봅니다.

❷ 2가지 이상의 대상을 무게, 형태, 양, 용도, 역사 등 여러 차원에서 비교해 봅니다.

❸ 낱말의 비슷한 말과 반대말을 생각해 봅니다.

❹ 낱말의 운율을 생각해 봅니다.
  • 같은 낱말을 두 번 반복 : 소곤소곤, 두근두근
  • 의미가 다른 두 낱말을 연결 : 오락가락, 아롱다롱

❺ 의성어인지 의태어인지 생각해 봅니다.
  • 의성어 : 사물의 소리를 흉내낸 말 **예** 멍멍, 땡땡, 우당탕, 퍼덕퍼덕 등
  • 의태어 : 사람이나 사물의 모양 또는 움직임을 흉내낸 말 **예** 아장아장, 번쩍번쩍 등

다음 규칙 에 따라 빈칸에 알맞은 말을 써넣으시오. 기출 문제

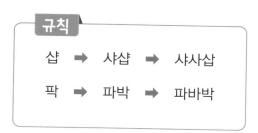

규칙

샵 ➡ 샤샵 ➡ 샤사샵

팍 ➡ 파박 ➡ 파바박

(1) 뽕 ➡ [   ] ➡ 뽀보봉

(2) [   ] ➡ 짜장 ➡ 짜자장

(3) 용 ➡ [   ] ➡ [   ]

(4) [   ] ➡ [   ] ➡ 쑤숭

(5) [   ] ➡ [   ] ➡ 여어엉

친구 답안

점수
5점

친구의 답안을 어떻게 채점하였는지 살펴봅시다.

(1)   뽕   ➡   뽀봉   ➡   뽀보봉

(2)   짱   ➡   짜장   ➡   짜자장

(3)   용   ➡   오옹   ➡   요오옹

(4)   쑹   ➡   쑤슝   ➡   쑤승

(5)   영   ➡   여엉   ➡   여어엉

맞힌 개수 8개 : 5점

채점 POINT

❶ 낱말의 규칙은 다음과 같습니다.

(1) 쌍자음이 있는 경우

뽕

⬇   첫째 번 글자 : 받침만 탈락
     둘째 번 글자 : 첫째 번 글자의 쌍자
                   음에서 자음 1개 탈락

뽀봉

⬇   첫째 번 글자 : 그대로
     둘째 번 글자 : 받침만 탈락
     셋째 번 글자 : 둘째 번 글자 그대로

뽀보봉

(2) 이중모음이 있는 경우

용

⬇   첫째 번 글자 : 받침만 탈락
     둘째 번 글자 : 첫째 번 글자의 이중
                   모음에서 단모음으로

요옹

⬇   첫째 번 글자 : 그대로
     둘째 번 글자 : 받침만 탈락
     셋째 번 글자 : 둘째 번 글자 그대로

요오옹

❷ 규칙을 찾아 알맞은 답을 쓴 개수에 따라 채점합니다.

아이디어의 개수	점수
1개	1점
2 ~ 3개	2점
4 ~ 5개	3점
6 ~ 7개	4점
8개 이상	5점

연습|01　다음 주어진 숫자의 의미가 들어가는 낱말을 여러 가지 찾아 쓰시오.

> **1**
>
> 제일, 수석

> **2**
>
> 짝꿍

> **3**

> **4**

> **5**

연습 | 02 '7788'을 읽으면 '칙칙폭폭'의 소리와 비슷하여 철도청 전화번호로 사용됩니다. 이와 같이 재미있는 전화번호를 <u>여러 가지</u> 찾아 쓰시오.

7788	2424	4989	
기차			

연습|03 다음 보기와 같이 밑줄에 알맞은 단어를 써넣으시오.

> **보기**
>
> 아빠가 걸을 때에는 성큼성큼
>
> 아가가 걸을 때에는 아장아장
>
> 새색시가 걸을 때에는 사뿐사뿐
>
> 지쳐서 걸어갈 때에는 터덜터덜
>
> 힘들어서 걸어갈 때에는 털레털레

사람들이

기다리며 _____

물건을 찾아 _____

길을 몰라 _____

헤메이며 _____

누가 볼까 _____

무슨 일일까 _____

당황해서 _____

하기 싫어 _____

웃는 모습이

재미있어서 _____

기분 좋아서 _____

엄마 보고 _____

아빠 보고 _____

즐거워서 _____

마주 보고 _____

같이 보고 _____

따로 보고 _____

실전 01 다음을 보고, 규칙을 찾아 쓰고 ⑦번의 빈칸을 채우시오. 기출 문제

① 비행기 – 연필 – 운송 – 필기

② 영화 – 예술 – 추석– 명절

③ 컴퓨터 – MP3 – 키보드 – 이어폰

④ 숲 – 나무 – 책 – 글자

⑤ 나침반 – 자 – 방향 – 길이

⑥ 배 – 돛 – 시계 – 바늘

⑦ [   ] – [   ] – [   ] – [   ]

규칙

실전 02 **보기**의 낱말들과 같은 방법으로 만들어진 낱말을 <u>10개 이상</u> 쓰시오.

> **보기**
>
> 미주알고주알, 갈팡질팡, 아롱다롱, 오락가락, 쥐락펴락

① _____

② _____

③ _____

④ _____

⑤ _____

⑥ _____

⑦ _____

⑧ _____

⑨ _____

⑩ _____

⑪ _____

⑫ _____

⑬ _____

⑭ _____

⑮ _____

⑯ _____

전략 Point

삼단논법은 2개의 전제(대전제, 소전제)와 1개의 결론으로 이루어진 연역적 추리 방법으로, 포함관계에 있는 것들의 비교입니다.

예를 들어 '사람은 두 발로 걷는다.'의 뜻은 '사람＝두 발로 걷는다.'가 아니라 '사람은 두 발로 걷는 동물에 포함된다.'는 뜻입니다.

만약 포함관계로 이해하지 않고, '사람'='두 발로 걷는다.'로 생각하면 다음과 같은 오류가 발생합니다.

사람은 두 발로 걷는다.
닭은 두 발로 걷는다.

➡ 그러므로 사람은 닭이다.(오류)

'사람' = '두 발로 걷는다.'
'닭' = '두 발로 걷는다.'

'사람' = '닭'

다음을 보고 ㉮, ㉯, ㉰, ㉱에 해당하는 말을 쓰시오. 기출 문제

㉮는 ㉯이고,
㉰는 ㉯이고,
㉱는 ㉰이고,
㉰는 ㉮가 아니다.

㉮ _____

㉯ _____

㉰ _____

㉱ _____

2
____
단계

영재성
검사

창의적 문제
해결력 검사

친구의 답안을 어떻게 채점하였는지 살펴봅시다.

⑰ 나무

⑭ 식물

⑮ 꽃

⑯ 장미

주어진 전제 4개 만족 : 5점

⑰ 아빠

⑭ 사람

⑮ 동생

⑯ 어린이

주어진 전제 4개 만족 : 5점

채점 POINT

❶ 주어진 전제를 보고, 논리적으로 타당한 관계를 이루는 낱말을 찾아내야 합니다.

❷ 주어진 전제를 정리하면 다음과 같습니다.

⑰는 ⑭이고,　　➡　⑰는 ⑭에 포함되고 (⑰ → ⑭)

⑮는 ⑭이고,　　➡　⑮는 ⑭에 포함되고 (⑮ → ⑭)

⑯는 ⑮이고,　　➡　⑯는 ⑮에 포함되고 (⑯ → ⑮)

⑮는 ⑰가 아니다.　➡　⑮는 ⑰에 포함되지 않는다.

➡
```
      ⑰ ↘
          ⑭
⑯ → ⑮ ↗
```

❸ 주어진 전제를 만족시키는 낱말의 개수에 따라 채점합니다.

주어진 전제를 만족하는 낱말의 개수	점수
1개	2점
2개	3점
3개	4점
4개	5점

연습|01 어떤 일에는 반드시 원인과 결과가 있습니다. 다음 문장을 원인과 결과로 구분하시오.

(1) 응급실에 갔다. 밤에 열이 너무 많이 올랐기 때문이다.

(2) 손을 다쳐서 농구를 할 수 없었다.

(3) 교통사고로 차가 막혀서 등교 시간에 늦었다.

연습|02 다음 보기 와 같이 2개의 전제로부터 하나의 결론을 이끌어 내는 논리 방법을 **삼단논법**이라고 합니다. 다음 중 결론인 문장을 찾으시오.

> **보기**
>
> 모든 사람은 죽는다. → 대전제
> 소크라테스는 사람이다. → 소전제
> 소크라테스는 죽는다. → 결론

(1)
> 모든 야채는 몸에 좋다.
>
> 오이는 몸에 좋다.
>
> 오이는 야채다.

(2)
> 고래는 젖을 먹인다.
>
> 고래는 포유류다.
>
> 모든 포유류는 젖을 먹인다.

(3)
> 민성이는 바나나 우유를 먹지 않는다.
>
> 민성이는 바나나를 좋아하지 않는다.
>
> 바나나 우유에는 바나나가 들어 있다.

(4)
> 봄이 오면 뒷산에 진달래가 핀다.
>
> 봄이 왔다.
>
> 뒷산에 진달래가 피었다.

연습 **03** 다음 빈칸에 삼단논법의 올바른 전제 또는 결론을 적어 보시오.

(1) 모든 새들은 날개가 있다.

독수리는 새다.

(2) _____

선인장은 식물이다.

선인장은 물을 필요로 한다.

(3) 독서량이 많으면 국어 점수가 높을 것이다.

은선이는 독서량이 많다.

(4) 말이 많으면 실수를 자주 한다.

(5) 키가 큰 사람은 발도 크다.

실전 01 다음의 문장들을 보고, 물음에 답하시오. 기출문제

(1) ①과 ②의 문장을 보고, 알 수 있는 결론을 ③에 모두 쓰시오.

> ① 모든 티토는 사자보다 작다.
>
> ② 코끼리는 사자보다 크다.
>
> ③ 그러므로 티토는 _____

(2) ①과 ②의 문장을 보고 ③의 결론이 나올 수 있도록, ②에 알맞은 문장을 쓰시오.

> ① 모든 리사는 사랑을 받는다.
>
> ② _____
>
> ③ 따라서 두더지는 사랑을 받는다.

실전02 다음 글을 읽고, 어떻게 해야 어머니가 아기를 구할 수 있을지 방법을 찾아 써 보시오.

옛날 이집트의 나일강에 커다란 악어 한 마리가 살고 있었습니다. 이 악어가 강가에 놀러 온 아기를 입에 물고 잡아 먹으려고 하였습니다.

이때, 어머니는

"나의 아기를 살려주세요!" 하고 소리쳤습니다.

악어는

"내가 이 아기를 잡아먹을 지 살려줄 지 알아맞혀 보아라. 알아맞히면 살려주지." 라 며 어머니에게 문제를 내었습니다.

2
단계

영재성
검사

창의적 문
해결력 검

낱말 퍼즐은 '낱말 맞히기', '끝말 잇기', '낱말 연상', '낱말 계산식', '수수께끼' 등 여러 가지가 있습니다.

❶ 가능한 다양한 단어를 사용하여 낱말 퍼즐을 해결합니다.

❷ 낱말 맞히기의 힌트, 낱말 연상, 낱말 계산식, 수수께끼 등은 다른 사람이 보아도 알 수 있도록 주관적으로 만들지 않습니다.

❸ 독창적인 아이디어라도 논리적으로 합당한 것이어야 합니다.

여러분이 알고 있는 단어를 이용하여 퍼즐을 만들어 보시오.

	① 피				
②	노			⑤	
	키				
	③ 오	④			
⑥					

세로 열쇠

① 거짓말을 하면 코가 길어지는 인형

④

⑤

가로 열쇠

②

③

⑤

⑥

친구의 답안을 어떻게 채점하였는지 살펴봅시다.

	① 피				
② 뱃	노	래		⑤ 사	과
	키			오	
	③ 오	④ 두	방	정	
		꺼			
⑥ 도	깨	비			

낱말(7개) : 5점

세로 열쇠

✓① 거짓말하면 코가 길어지는 인형

✓④ 개구리랑 비슷하지만 개구리 보다 크고 우둘투둘한 동물

⑤ 빨간색 맛있는 과일. 나무에서 난다.

가로 열쇠

✓② 노를 저으며 부르는 노래

✓③ 가만히 있질 못하고 쉴새없이 야단을 피우며 방정맞게 구는 행동

✓⑤ 쏜오공 만화에 나오는., 귀가 잘 안 들리는 사람. 말귀를 못 알아 듣는 사람.

⑥ 방망이를 들고 다니며 심술궂은 짓을 많이 하는 사람형태의 귀신

가로 • 세로 열쇠(5개) : 3점

채점 POINT

❶ 낱말 맞히기는 낱말이 서로 이어지도록 단어를 찾아, 그 단어를 다른 사람이 이해하기 쉽게 설명하는 능력을 보는 것입니다.

❷ 낱말끼리 연결된 개수와 가로 · 세로 열쇠의 설명이 명확한 개수에 따라 채점합니다.

아이디어의 개수	점수
1개	1점
2 ~ 3개	2점
4 ~ 5개	3점
6개	4점
7개	5점

연습|**01** 외국 문화를 받아들이다 보니 일상생활에서 필요 이상으로 외래어를 많이 사용합니다. 다음 외래어를 순수한 우리말로 고쳐 보시오.

> 뉴스

> 커피

> 컴퓨터

> 게임

> 아이스크림

연습|02 끝말 이어가기는 단어의 끝 글자를 다음 단어의 첫 글자와 같게 연결하는 것입니다.
다음 빈칸에 알맞은 단어를 넣어 끝말 이어가기를 완성하시오.

(1)

(2)
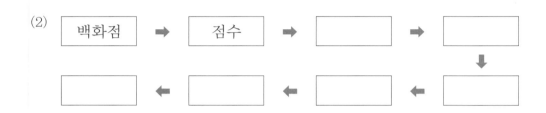

(3)
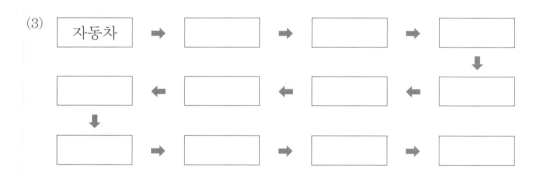

연습|03 **보기**와 같이 주어진 단어를 보고, 비슷한 점이나 연상되는 것을 이용하여 단어를 연결해 보시오.

보기

| 빨간색 | ➡ | 유니폼 | ➡ | 국가대표 | ➡ | 축구 |

(1) 자장면 ➡ [ ] ➡ [ ] ➡ 상장

(2) 겨울 ➡ [ ] ➡ [ ] ➡ 식량

(3) 질서 ➡ [ ] ➡ [ ] ➡ 영화

(4) 검다 ➡ [ ] ➡ [ ] ➡ [ ] ➡ 소금

(5) 자동차 ➡ [ ] ➡ [ ] ➡ [ ] ➡ 헬멧

실전 01 **보기**와 같이 주어진 단어를 이용하여 재미있는 계산을 해 보고, 그 이유를 설명하시오.

보기

사과 + 벌레 ——— 동굴	사과에 벌레가 있습니다. 이 벌레가 사과를 맛있게 먹어서 생긴 구멍은 벌레에게 동굴과 같습니다.

호박 – 씨앗 + 얼굴	

부드러운 배게 + 하품	

황금색 허수아비 + 참새	

실전 02 다음 단어를 이용하여 재미있는 수수께끼를 여러 가지 만들어 보시오.

요강

- 강은 강인데 헤엄 못치는 강
- 강은 강인데 물고기가 없는 강

주전자

방귀

달걀

대표 유형 탐구

그림 사이의 규칙을 찾아 빈칸에 알맞은 그림을 그려 넣으시오.

(1) 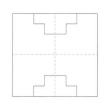 :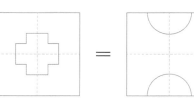

(2)  :

(3)  :

유추란 제시된 두 개 이상의 관계를 살펴보고, 그 관계에 비추어 다음에 올 도형을 예상하는 것입니다.
이러한 문제를 푸는 데 필요한 변화 원리는 다음과 같습니다.

❶ 크기 : 도형 중 하나가 단순히 크게 또는 작게 됩니다.

❷ 회전 : 도형 중 하나가 시계 방향 또는 시계 반대 방향으로 회전합니다.

❸ 공중제비 : 도형 중 하나가 공중제비합니다.

❹ 그림자 : 그림자가 부분 또는 모두 변하거나 없어집니다.

❺ 모양 바꿈 : 도형의 위치는 움직이지 않으나 그 모양이 바뀝니다.

❻ 위치 바꿈 : 도형의 위치가 바뀝니다.

❼ 요술 : 도형의 한 부분이 사라지거나 어딘가에서 나타납니다.

❽ 튕김 : 어떤 형태 밖으로 도형의 위치가 바뀝니다.

❾ 분할 : 도형의 하나가 반으로 분할되어 분할된 부분이 변화합니다.

❿ 번식 : 도형의 하나가 아메바처럼 번식하여 같은 모양으로 나타납니다.

 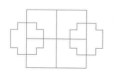

2

단계

영재성
검사

창의적 문
해결력 검

01 다음 빈칸에 들어갈 그림으로 알맞은 것을 고르시오.

① ② ③

④ 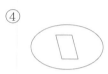 ⑤  ⑥

02 그림 사이의 규칙을 찾아 빈칸에 알맞은 그림을 그려 넣으시오.

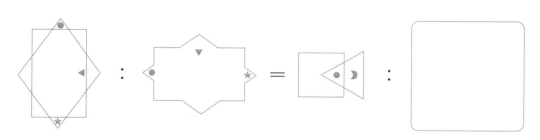

03 규칙에 맞게 빈칸에 알맞은 그림을 그려 넣으시오.

(1)

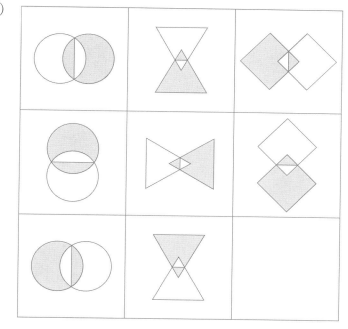

(2)

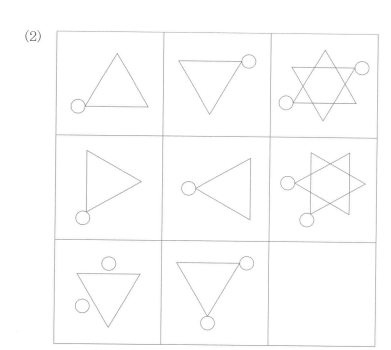

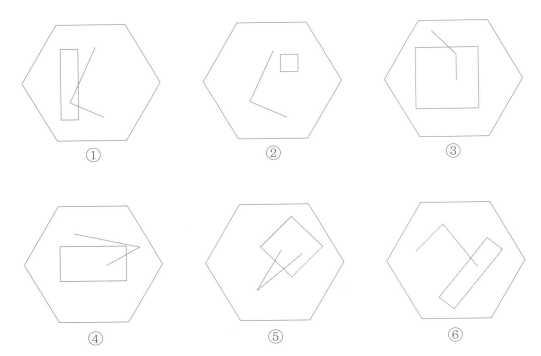

$^{+}$**01** 다음 그림 중에서 나머지와 <u>다른</u> 하나를 고르고, 그 이유를 설명하시오.
_{Plus}

① ② ③

④ ⑤ ⑥

이유

⁺**02**
_{Plus}

다음 그림은 일정한 규칙에 따라 배열되어 있습니다. 규칙을 찾아 빈칸에 들어갈 알맞은 그림을 그리고, 규칙을 설명하시오.

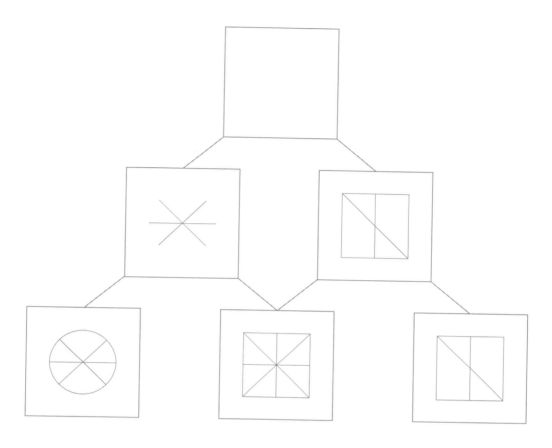

규칙

대표 유형 탐구

다음 보기 는 (ㄱ)을 사용하여 (ㄴ)을 계산하기로 약속하였습니다.

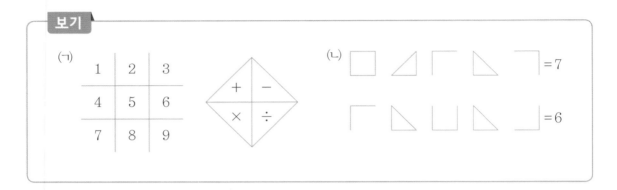

같은 방법으로 다음을 계산하시오.

Lecture

암호는 어떤 내용을 제 3자가 판독할 수 없는 글자, 숫자, 부호 등으로 변경시킨 것으로, 오래 전부터 사용되고 있습니다.

최초의 암호는 스파르타의 스키테일 암호인데, 이것은 가는 너비의 테이프를 원통에 서로 겹치지 않도록 감아서 그 테이프 위에 세로 쓰기로 통신문을 기입하는 방식입니다. 그 테이프를 풀어 보아서는 기록의 내용을 전혀 판독할 수 없지만, 동일한 크기의 원통에 감아 보면 내용을 읽을 수 있게 고안되었습니다. 또한 글자를 어떤 규칙에 의해 바꾸는 방식의 암호는 로마 시대의 카이사르에 의해서 고안되었습니다. 이것은 전달받고자 하는 내용의 글자를 그대로 사용하지 않고, 그 글자보다 알파벳 순서로 앞이나 뒤로 몇 칸씩 옮겨서 글을 바꾸어 기록하는 방식입니다.

다음을 보고 ☐ 안에 알맞은 수를 써넣으시오.

(1)

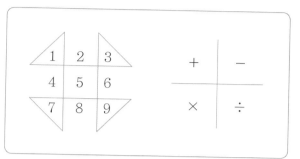

1	2	3		+		−
4	5	6				
7	8	9		×		÷

① ◿ ◺ = ☐

② ◣ � ... = ☐

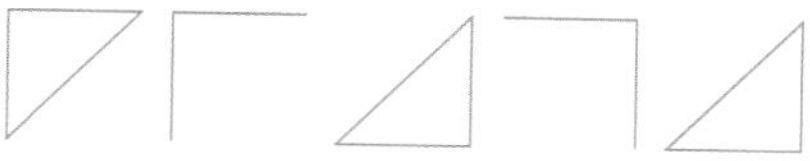

(2)

1	2	3			+	
4	5	6		−	0	×
7	8	9			÷	

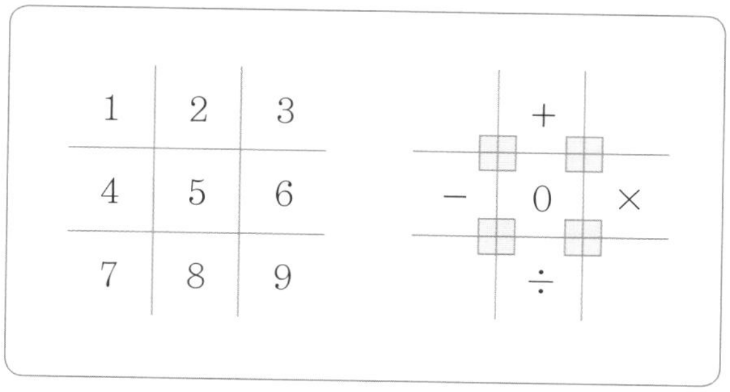

① ☐ = ☐

② ☐ = ☐

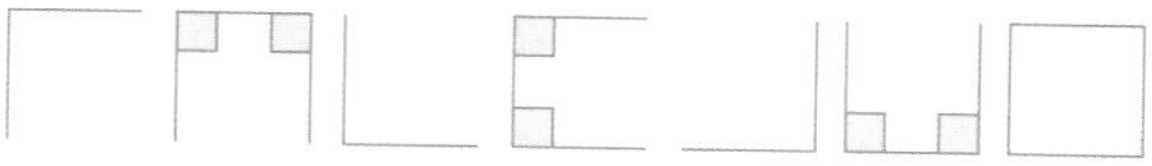

③ ☐ = ☐

01 (2, 3), (5, 3), (2, 5), (5, 1)은 LOVE를 나타내는 암호입니다. 다음을 해독하시오.

> (1, 3), (5, 3), (3, 4), (5, 1), (1, 1)

02 다음 보기의 각 칸 안에 있는 기호는 어떤 수를 나타내며, 그 수들의 합을 가운데 칸에 써넣었습니다.

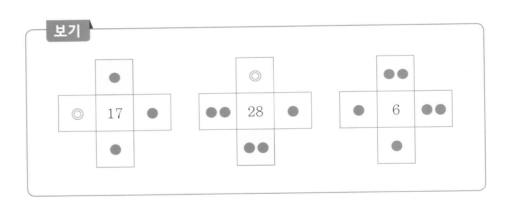

규칙에 따라 ㈎, ㈏의 값을 각각 구하시오.

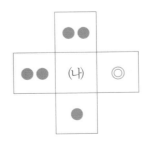

㈎ : _____   ㈏ : _____

03 다음과 같이 기호로 수를 나타낼 때, ◯ 안에 + 또는 −를 넣어 식을 완성하시오.

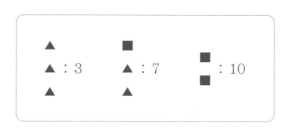

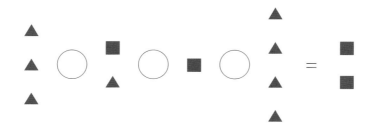

04 다음 표에서 서로 다른 알파벳은 서로 다른 수를 나타냅니다. 각 줄의 네 수의 합을 표의 오른쪽 또는 아래에 쓸 때, ☐ 안에 들어갈 수를 구하시오.

A	B	B	C	13
C	A	D	B	15
D	C	A	A	11
D	C	B	B	19
17	10	☐	13	

⁺**01**
Plus

어떤 상자에 수를 넣으면 다음과 같은 **규칙** 으로 수가 나옵니다. 규칙을 찾아 ☐ 안에 들어갈 알맞은 수를 구하시오.

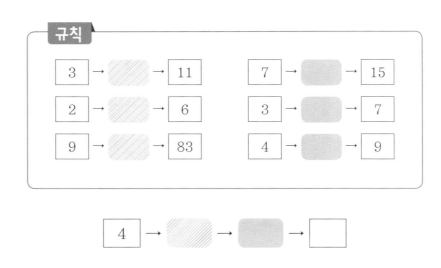

⁺**02**
Plus

표 (가)는 일정한 규칙에 의해 표 (나)로 바뀌었습니다. 규칙을 찾아 빈칸에 알맞은 수를 써넣으시오.

1	10	15	7
16	6	12	3
4	9	2	11
13	5	14	8

(가)

➡

10	6	7	3
1	16		
9	5		
4	13	2	14

(나)

⁺**03**
Plus

다음은 파스칼의 삼각형의 일부입니다. 파스칼의 삼각형에서 찾을 수 있는 여러 가지 규칙을 찾고, 표시해 보시오.

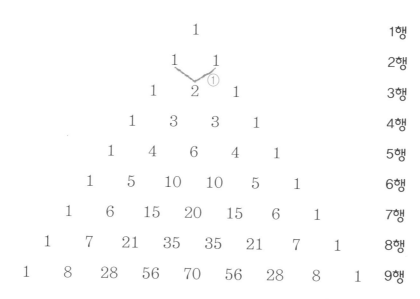

1	1행
1　1	2행
1　2　① 1	3행
1　3　3　1	4행
1　4　6　4　1	5행
1　5　10　10　5　1	6행
1　6　15　20　15　6　1	7행
1　7　21　35　35　21　7　1	8행
1　8　28　56　70　56　28　8　1	9행

찾은 규칙

① 각 행의 처음과 끝에 있는 1을 제외한 수는 위의 두 수를 합한 결과를 씁니다.

대표 유형 탐구

선생님이 혜민이와 지수에게 두 자리 수를 떠올린 후 십의 자리 숫자와 일의 자리 숫자를 바꾼 새로운 수를 생각해 보라고 말했습니다. 다음의 혜민이와 지수가 나누는 이야기를 읽고, 혜민이와 지수가 처음 생각한 수와 새로 생각한 수를 구하시오.

기출 문제

> 혜민 : 내가 새로 생각한 수는 처음 생각한 수에 1을 더한 다음 나누기 2를 한 것이다.
> 지수 : 내가 처음 생각한 수는 새로 생각한 수에 1을 더한 다음 곱하기 2를 한 것이다.

(1) 혜민이가 처음 생각한 수 :

　　　　새로 만든 수 :

(2) 지수가 처음 생각한 수 :

　　　　새로 만든 수 :

Lecture

❶ 거꾸로 생각하기 : 주어진 결과로부터 거꾸로 계산하여 처음의 조건을 찾아냅니다.
❷ 표로 나타내기 : 주어진 상황을 표로 나타내고, 모든 경우를 빠짐없이 찾아 해결합니다.
❸ 식 만들기 : 수와 계산 기호를 사용하는 간단한 형태로 정리한 식을 만들어 해결합니다.
❹ 규칙 찾아 해결하기 : 숨어 있는 규칙을 찾아내어 문제를 해결합니다.
❺ 예상하고 확인하기 : 답을 먼저 예상하여 주어진 조건에 맞는지 확인합니다.
❻ 그림 그려 해결하기 : 주어진 조건을 기호, 수직선, 화살표 등을 사용하여 간단하게 그림을 그려서 해결합니다.

01 남자 어린이와 여자 어린이가 어머니와 함께 길을 걸어가고 있습니다. 길을 지나던 할머니가 남자 어린이의 나이를 물어 보았을 때, 어머니가 다음과 같이 말했습니다. 남자 어린이의 나이를 구하는 풀이 과정을 쓰고 답을 구하시오. [기출 문제]

> 두 어린이의 나이를 곱하면 48이 되고, 남자 어린이의 나이에서 한 살을 여자 어린이에게 주면 두 어린이의 나이가 같아집니다.

02 현정이가 사탕 25개를 친구들에게 하나씩 나누어 주고 있습니다. 모든 친구들에게 하나씩 나누어 주면 현정이도 1개를 가집니다. 그리고 사탕이 남았으면 다시 1개씩 꺼내어 친구들에게 나누어 주기 시작합니다. 이와 같은 방법으로 계속 사탕을 나누어 주다가 현정이가 마지막으로 남은 사탕을 가지게 되었다면 현정이의 친구는 모두 몇 명입니까? 가능한 수를 모두 구하시오.

01 다음과 같이 수민, 자경, 희은, 정민 네 명이 카드를 나누어 가졌습니다. 카드의 수가 많은 순서대로 이름을 쓰시오.

> • 정민이는 자경이 또는 수민이의 3배입니다.
>
> • 자경이는 수민이 또는 희은이의 2배입니다.
>
> • 수민이는 카드를 둘째 번으로 많이 가지고 있습니다.

02 피노키오의 코는 거짓말을 할 때마다 2배로 길어집니다. 피노키오가 8번 거짓말을 해서 코의 길이가 8m가 되었습니다. 그렇다면 피노키오가 거짓말을 6번 했을 때의 코의 길이는 몇 m인지 구하시오.

03 달팽이가 높이가 30m인 우물을 올라가고 있습니다. 달팽이는 낮 동안 3m를 올라가고, 밤 동안 2m를 미끄러져 내려온다고 합니다. 달팽이가 우물 위로 올라가려면 며칠이 걸리는지 구하시오.

04 빈 병 3개를 가져가면 새 음료수 1병을 주는 가게가 있습니다. 이 음료수 15병을 샀다면 최대 몇 병까지 음료수를 마실 수 있는지 구하고, 그 방법을 설명하시오.

⁺**01**
_{Plus}
추를 양쪽 접시에 모두 올려놓을 수 있는 양팔저울과 1g짜리 추 2개, 3g짜리 추 1개, 7g짜리 추 1개로 잴 수 있는 물건의 무게를 모두 구하시오.

⁺**02**
_{Plus}
다음과 같이 숫자 4개로 시각을 표시하는 디지털 시계가 있습니다. 4시부터 12시까지 시계에 표시되는 4개의 숫자의 합이 6이 되는 경우를 모두 쓰시오.

$^{+}$**03**
Plus

다음 그림은 3개의 돌멩이 ㉠, ㉡, ㉢의 무게를 비교하기 위해 양팔저울 위에 올려놓은 것입니다. 가장 무거운 돌멩이부터 차례로 쓰시오.

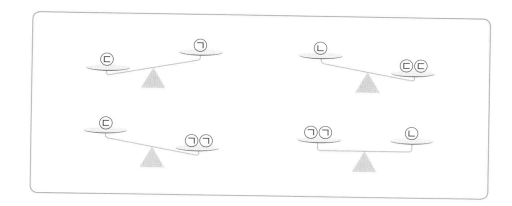

$^{+}$**04**
Plus

모양과 크기가 같은 4개의 금화 중 무게를 알 수 없는 가짜 금화 1개가 섞여 있습니다. 다음 그림을 보고 가짜 금화의 번호를 찾으시오.

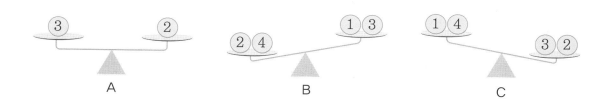

수리적 사고력 여러 가지 퍼즐

다음 보기 는 16개의 칸을 여러 가지 모양으로 나눈 것입니다. 숫자는 나눈 모양에 포함된 칸의 개수이고, 같은 숫자끼리는 나눈 모양이 같습니다. 보기 와 같은 방법으로 다음 그림을 나누시오. 기출문제

보기

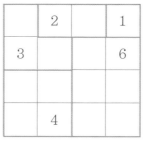

	2				
	2			4	
3			5		
	5				3
				5	
	6				1

수리 ❹ Drill

규칙에 맞게 출발점에서 도착점까지 연속하는 수를 차례로 잇는 선을 그으시오.

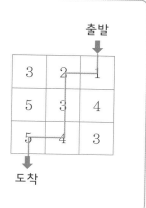

(1)

4	1	2
3	2	1
4	5	2
3	6	3

← 출발

↓ 도착

(2)

6	8	8	9	10
5	7	7	7	9
4	5	6	6	4
3	2	1	2	3

➡ 도착

↑ 출발

01 다음 조건을 만족시키는 행운의 일곱 자리 수 중에서 가장 큰 수를 빈칸에 써넣으시오.

> **조건**
> - 행운의 수의 각 자리 숫자를 모두 더하면 30이 됩니다.
> - 행운의 수의 가운데 숫자는 5입니다.
> - 행운의 수의 각 자리 숫자는 모두 다릅니다.
> - 행운의 수의 각 자리 숫자 중 맨 앞자리 숫자가 가장 큽니다.
> - 행운의 수의 가운데 숫자와 그 오른쪽 숫자의 합은 맨 앞자리 숫자와 같습니다.
> - 행운의 수의 앞에서 둘째 번 숫자와 셋째 번 숫자의 합은 여섯째 번 숫자와 같으며, 그 숫자의 2배는 마지막 숫자입니다.

02 다음 그림에서 선으로 연결된 칸에 서로 이웃한 두 수가 들어가지 않도록 1부터 6까지의 수를 하나씩 써넣으시오. (1, 2나 4, 5와 같이 연속하는 두 수를 이웃한 수라고 합니다.)

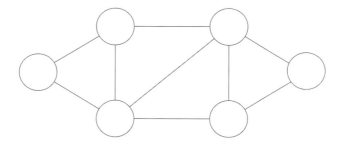

03 규칙 에 맞게 색칠하여 노노그램을 완성하여 보시오.

> ### 규칙
>
> - 정사각형의 위에 있는 수는 세로줄에 색칠해진 칸의 개수를 나타냅니다.
> - 정사각형의 왼쪽에 있는 수는 가로줄에 색칠해진 칸의 개수를 나타냅니다.
> - 연이어 나온 수와 수 사이에는 반드시 빈칸이 있어야 합니다.

〈올바른 예〉 〈틀린 예〉

(1)

	5	1	5	3	1
1 1					
1 2					
5					
1 2					
1 1					

(2)

	4	6	1 2	2 2	2 2	1 2	6	4
2 2								
2 2 2								
2 2 2								
2 2								
2 2								
2 2								
4								
2								

04 규칙에 맞게 같은 그림끼리 선으로 연결해 보시오.

규칙

- 선은 가로나 세로 방향으로만 연결할 수 있습니다.
- 빈칸에는 선이 중복되지 않게 한 번씩만 지나가야 하고, 선이 지나가지 않은 빈칸이 있어서는 안됩니다.

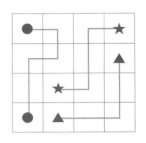

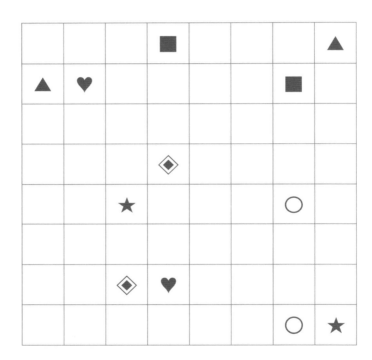

05 **보기** 에서 도형 밖에 있는 수는 화살표 방향으로 색칠한 삼각형의 개수를 나타냅니다. 같은 방법으로 주어진 수에 맞게 삼각형을 색칠하시오. (단, 색칠된 삼각형과 이웃한 삼각형은 색칠할 수 없습니다.)

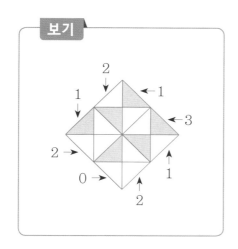

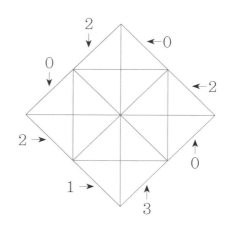

06 **규칙** 에 맞게 화살표를 잇는 선을 그으시오.

규칙

• 사각형의 위에 쓰인 수는 그 수 아래의 방 중 반드시 지나야 하는 방의 개수입니다.
• 사각형의 옆에 쓰인 수는 그 수 옆의 방 중 반드시 지나야 하는 방의 개수입니다.

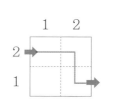

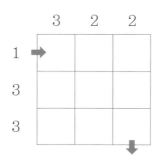

① 색종이 겹치기

그림과 같이 크기가 같은 7장의 색종이를 겹쳐 놓았습니다. 가장 아래에 놓인 색종이의 번호를 쓰시오.

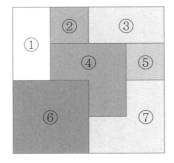

Lecture

겹쳐진 색종이 문제는 가장 위에 있는 색종이부터 차례로 하나씩 뺀 모양을 그리면서 해결합니다.

예를 들어, 색종이가 다음과 같이 겹쳐져 있을 때, 위에 있는 색종이부터 하나씩 빼면 다음과 같습니다.

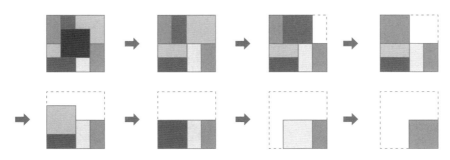

크기가 같은 색종이 8장을 그림과 같이 겹쳐 놓았습니다. 가장 위에 있는 색종이를 하나씩 빼 모양을 차례로 그리고, 가장 위에 놓인 색종이부터 차례로 번호를 쓰시오.

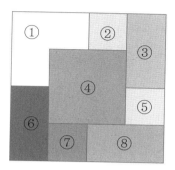

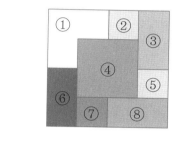 ➡  ➡

➡  ➡  ➡

➡  ➡

④ – □ – □ – □ – □ – □ – □ – □

01 크기가 같은 색종이를 다음과 같이 쌓아 놓았습니다. 가장 위에 놓인 색종이부터 차례로 번호를 쓰시오.

(1)

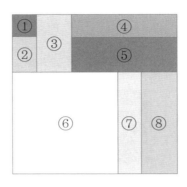

⑥ – ☐ – ☐ – ☐ – ☐ – ☐ – ☐ – ☐

(2)

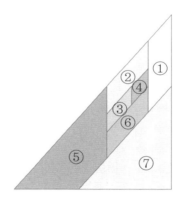

⑦ – ☐ – ☐ – ☐ – ☐ – ☐ – ☐

02 그림과 같이 구멍이 뚫린 색종이 ㉮, ㉯, ㉰ 3장을 겹쳐 놓았습니다. 각 구멍으로 보이는 색이 다음과 같을 때, 중간에 놓여 있는 색종이는 어느 것입니까?

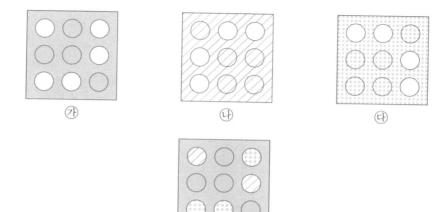

03 다음과 같이 구멍이 뚫린 색종이 ㉮, ㉯, ㉰ 3장을 겹쳤을 때, 구멍을 통해 보이는 ㉮의 무늬가 1개입니다. 이때 밑에서부터 위로 겹쳐진 색종이의 순서를 구하시오. (단, 색종이를 돌리지 않습니다.)

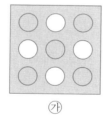
㉮

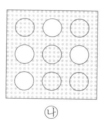
㉯

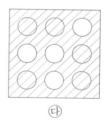
㉰

⁺01
Plus

투명한 눈금 필름 위에 다음과 같이 4명이 달리기하는 모습이 그려져 있습니다. 선 ㉠, ㉡, ㉢, ㉣을 중심으로 접을 때 달리기의 등수가 달라집니다. 물음에 답하시오

민수   현주   현정   동현

(1) 선 ㉢을 따라 필름을 접을 때, 1등에서 4등까지 차례로 이름을 쓰시오.

(2) 현주, 현정, 민수, 동현의 순서로 달리게 하려면 어느 선을 따라 접어야 합니까?

+02
Plus

보기 는 한 칸이 색칠된 3장의 필름지를 겹쳤을 때, 색칠된 칸의 개수가 최소일 때와 최대일 때를 그린 그림입니다. 주어진 3장의 필름지를 겹쳤을 때 색칠된 칸의 개수가 최소일 때와 최대일 때의 모양을 완성하시오.

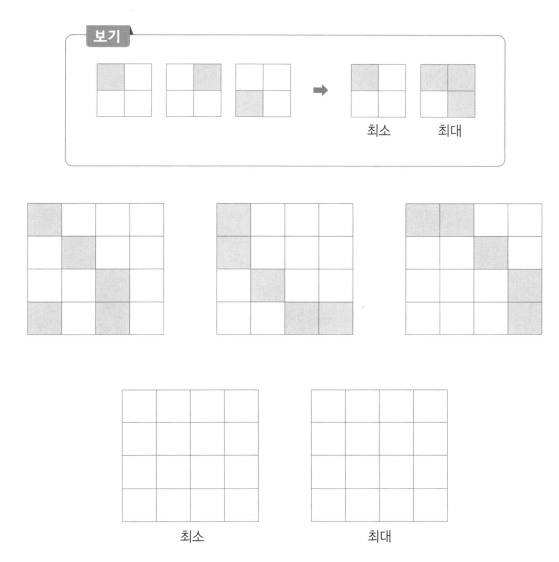

대표 유형 탐구

보기와 같은 조각을 여러 방향으로 돌려서 나올 수 있는 모양을 모두 고르시오.

기출 문제

보기

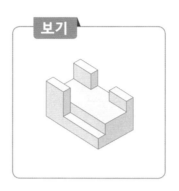

①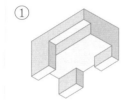

②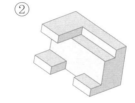

③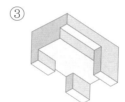

④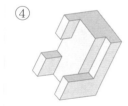

⑤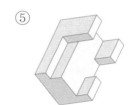

⑥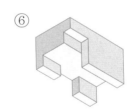

Lecture

주어진 모양들의 다른 점을 찾기 위해서는 모양의 특징을 파악하여 무엇이 같은 지를 먼저 알아보아야 합니다. 무엇이 같은 지를 알면 그것이 기준이 되어 다른 점을 찾기가 쉽습니다.

이와 같은 방법으로 같은 점과 다른 점을 찾아 나가는 것이 모양 전체를 관찰하는 것보다 쉬운 방법입니다. 다음 모양에서 공통되는 모양에 색칠해 보면 ④의 모양이 다르다는 것을 알 수 있습니다.

① ② ③ ④ ⑤ ⑥

다음은 쌓기나무를 사용하여 만든 모양입니다. 같은 모양을 찾아 선을 그어 보시오.

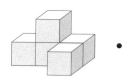 •   •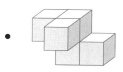

 •   •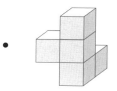

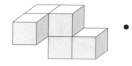 •   •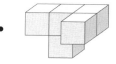

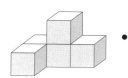 •   •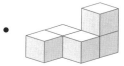

01 다음은 쌓기나무 5개를 붙여 만든 조각들을 여러 방향에서 본 그림입니다. 서로 다른 모양은 모두 몇 종류입니까?

02 가로, 세로, 높이가 각각 1cm, 1cm, 2cm인 직육면체 3개를 사용하여 다음과 같은 도형을 만들었습니다. 이 도형을 여러 방향에서 본 모양으로 옳은 것을 <u>모두</u> 고르시오.

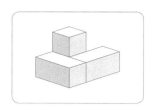

①   ② 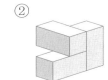   ③   ④   ⑤

03 보기 와 같은 모양의 도형을 여러 방향으로 돌려서 나올 수 있는 모양을 고르시오.

보기

①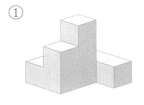

②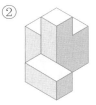

③

④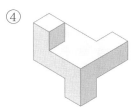

⑤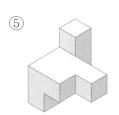

⁺**01** 다음 중 나머지와 <u>다른</u> 하나를 고르시오.
Plus

①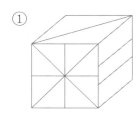

②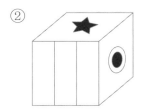

③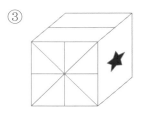

④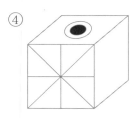

⑤

⑥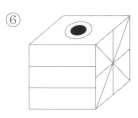

⁺**02** 다음 중 나머지와 <u>다른</u> 하나를 고르시오.
Plus

①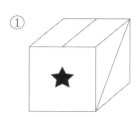

②

③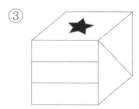

④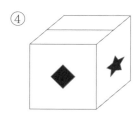

⑤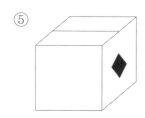

⁺03
Plus

보기 와 같은 조각을 여러 방향으로 돌렸을 때 나올 수 <u>없는</u> 모양을 고르시오.

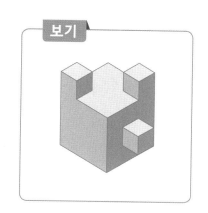

① 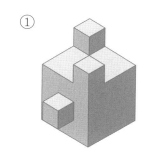 ② 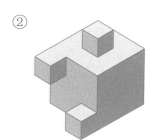 ③  ④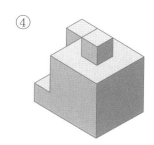

⁺04
Plus

보기 와 같은 조각을 여러 방향으로 돌렸을 때 나올 수 <u>없는</u> 모양을 모두 고르시오.

① 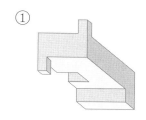 ② 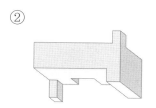 ③ 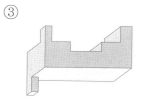 ④

대표 유형 탐구

다음과 같이 쌓기나무를 쌓을 때 필요한 쌓기나무의 개수를 구하시오.

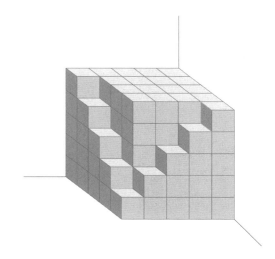

POINT

쌓기나무의 개수는 그림과 같이 위에서 내려다 본 면에 그 면 아래에 쌓인 쌓기나무의 개수를 각각 쓴 후 그 수들을 모두 더한 값입니다.

예 $4 \times 10 + 3 \times 3 + 2 \times 2 + 1 = 54$(개)

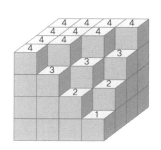

01 쌓기나무의 개수를 구하시오.

(1)

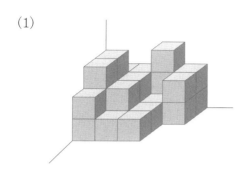

(2)

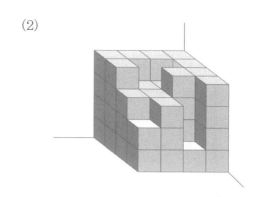

02 어느 방향에서도 보이지 <u>않는</u> 쌓기나무의 개수를 구하시오.

(1)

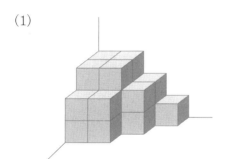

(2)

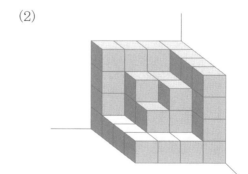

01 다음과 같이 쌓기나무 27개로 모양을 만들었습니다. 바닥면을 포함하여 겉면에 모두 페인트를 칠했다면, 두 면에 페인트가 칠해진 쌓기나무는 모두 몇 개입니까?

02 그림과 같이 검은색과 흰색의 쌓기나무를 쌓았습니다. 검은색 쌓기나무가 있는 줄은 어느 한 방향으로 맞은편까지 검은색 쌓기나무가 연속하여 쌓여 있습니다. 검은색 쌓기나무는 모두 몇 개입니까?

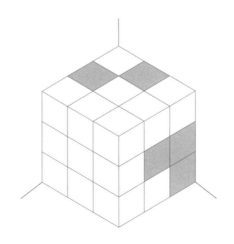

03 다음은 조각 A와 B 두 종류로 만든 모양입니다. 사용된 조각의 개수를 각각 구하시오.

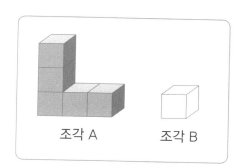

조각 A   조각 B

(1)

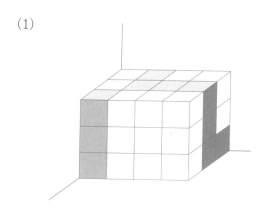

조각 A : _____ 개

조각 B : _____ 개

(2)

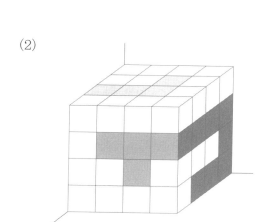

조각 A : _____ 개

조각 B : _____ 개

⁺**01**
<u>Plus</u>
다음은 쌓기나무로 모양을 만든 것을 위, 앞, 오른쪽 옆에서 본 모양입니다. 쌓기나무는 모두 몇 개인지 구하시오.

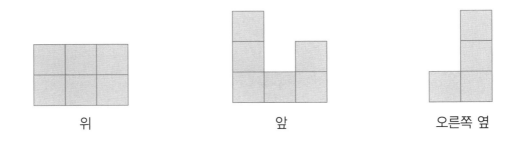

위　　　　　　　　앞　　　　　　　오른쪽 옆

⁺**02**
<u>Plus</u>
다음은 쌓기나무로 모양을 만든 것을 위, 앞, 오른쪽 옆에서 본 모양입니다. 이 쌓기나무로 만든 모양을 정육면체 모양이 되게 하려면 최소한 몇 개의 쌓기나무가 더 필요합니까?

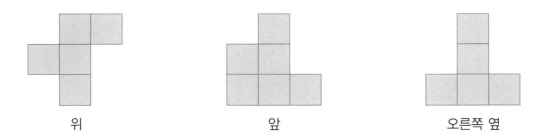

위　　　　　　　　앞　　　　　　　오른쪽 옆

⁺**03**
Plus
다음은 쌓기나무를 붙여서 만든 모양입니다. 이 모양은 위아래, 앞뒤, 좌우로 각각 구멍
이 뚫려 있습니다. 쌓기나무는 모두 몇 개입니까?

(1)

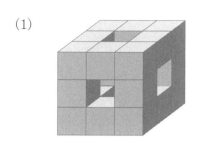

(2)

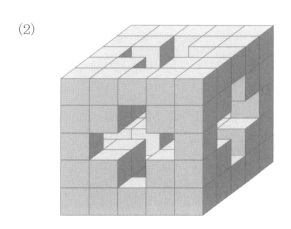

memo

Part 2

창의적 문제해결력 검사

다음 **보기** 는 2, 3, 4, 6 네 개의 숫자 중 세 개를 골라 ☐안에 넣고, ◯안에 +, −, ×, ÷를 넣어서 20을 만든 것입니다. 같은 방법으로 1부터 10까지의 수 10개를 모두 만들어 보시오.

보기

$$\boxed{2} \xrightarrow{\ \oplus\ } \boxed{3} \xrightarrow{\ \otimes\ } \boxed{4} = 20$$

$$\boxed{\ } \xrightarrow{\ \bigcirc\ } \boxed{\ } \xrightarrow{\ \bigcirc\ } \boxed{\ } = 1 \qquad \boxed{\ } \xrightarrow{\ \bigcirc\ } \boxed{\ } \xrightarrow{\ \bigcirc\ } \boxed{\ } = 2$$

$$\boxed{\ } \xrightarrow{\ \bigcirc\ } \boxed{\ } \xrightarrow{\ \bigcirc\ } \boxed{\ } = 3 \qquad \boxed{\ } \xrightarrow{\ \bigcirc\ } \boxed{\ } \xrightarrow{\ \bigcirc\ } \boxed{\ } = 4$$

$$\boxed{\ } \xrightarrow{\ \bigcirc\ } \boxed{\ } \xrightarrow{\ \bigcirc\ } \boxed{\ } = 5 \qquad \boxed{\ } \xrightarrow{\ \bigcirc\ } \boxed{\ } \xrightarrow{\ \bigcirc\ } \boxed{\ } = 6$$

$$\boxed{\ } \xrightarrow{\ \bigcirc\ } \boxed{\ } \xrightarrow{\ \bigcirc\ } \boxed{\ } = 7 \qquad \boxed{\ } \xrightarrow{\ \bigcirc\ } \boxed{\ } \xrightarrow{\ \bigcirc\ } \boxed{\ } = 8$$

$$\boxed{\ } \xrightarrow{\ \bigcirc\ } \boxed{\ } \xrightarrow{\ \bigcirc\ } \boxed{\ } = 9 \qquad \boxed{\ } \xrightarrow{\ \bigcirc\ } \boxed{\ } \xrightarrow{\ \bigcirc\ } \boxed{\ } = 10$$

다음 보기 는 처음 수의 각 자리에 있는 숫자들을 모두 더하여 새로운 수를 만든 것입니다.
이러한 과정을 반복하여 마지막으로 나오게 되는 한 자리 수가 1이면 처음 수를 **행복한
수**라고 합니다. 세 자리 수 중 행복한 수를 다섯 개 쓰시오.

보기

569   5+6+9 ➤ 20   2+0 ➤ 2   569는 행복한 수가 아닙니다.

235   2+3+5 ➤ 10   1+0 ➤ 1   235는 행복한 수입니다.

A, B, C, D, E는 0부터 9까지의 서로 다른 숫자를 나타냅니다. 다음을 만족하는 식을 모두 구하시오.

$$\begin{array}{r} A\ B\ C \\ +\ A\ B\ C \\ \hline D\ E\ E\ C \end{array}$$

다음 보기 는 두 자리 수 중에서 각 자리 숫자의 합에 4를 곱해서 원래의 수가 되는 것을 구한 것입니다.

보기

$$12 \longrightarrow (1 + 2) \times 4 = 12$$
$$24 \longrightarrow (2 + 4) \times 4 = 24$$
$$36 \longrightarrow (3 + 6) \times 4 = 36$$

두 자리 수 중에서 각 자리 숫자의 합에 7을 곱해서 원래의 수가 되는 것을 모두 구하시오.

다음 식이 성립하도록 빈칸에 알맞은 숫자를 써넣으려고 합니다. 가능한 경우를 모두 구하시오.

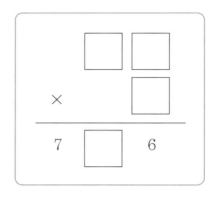

정사각형을 다음 그림과 같이 8개의 직각이등변삼각형으로 나누었습니다. 이 중 4개의 삼각형을 색칠하여 서로 <u>다른</u> 모양을 만드시오. (단, 돌리거나 뒤집어서 같은 모양은 한 가지로 봅니다.)

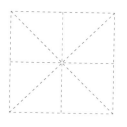 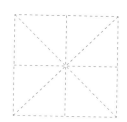 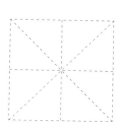

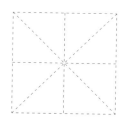 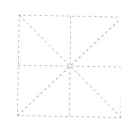 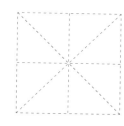

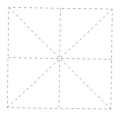 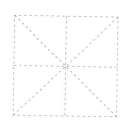 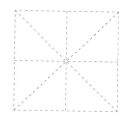

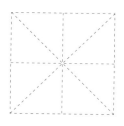 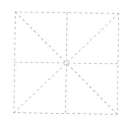 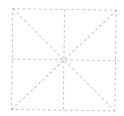

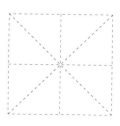 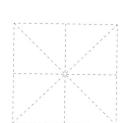 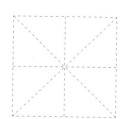

점판에 모양이 서로 다른 직각삼각형을 모두 그려 보시오. (단, 옮기기, 뒤집기, 돌리기에
의해 겹쳐지는 것은 같은 것으로 봅니다.)

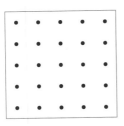 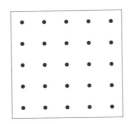 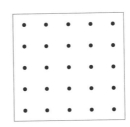 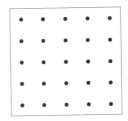

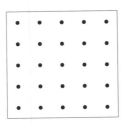 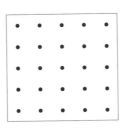 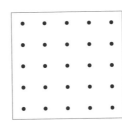 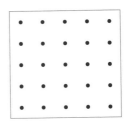

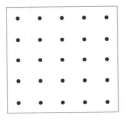 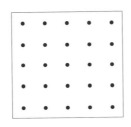 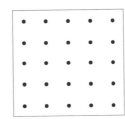 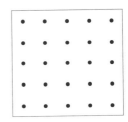

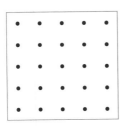  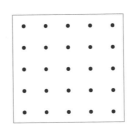 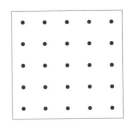

다음과 같이 정사각형을 둘로 나누어 삼각형 2개를 만들었습니다.

이 삼각형 2개를 붙이면 다음과 같이 3개의 모양을 만들 수 있습니다.

이와 같은 삼각형 4개를 사용하여 만들 수 있는 서로 다른 모양들을 여러 가지 그려 보시오.
(단, 돌리기와 뒤집어서 겹쳐지는 것은 같은 것으로 봅니다.)

다음 그림과 같은 종이를 선을 따라 넓이가 같은 두 조각으로 자르려고 합니다. 서로 다르게 자르는 방법을 모두 그리시오.(단, 돌리거나 뒤집어서 겹쳐지는 것은 같은 것으로 봅니다.)

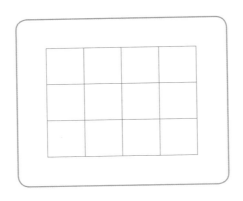

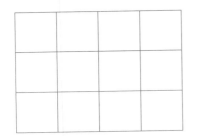
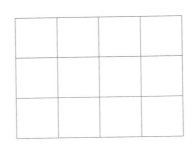
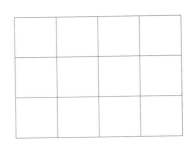

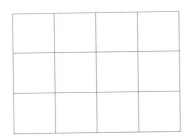
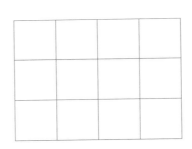
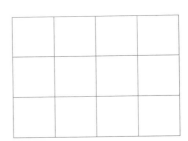

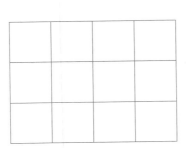
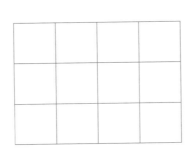
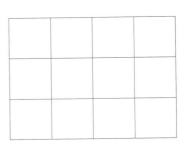

보기 와 같이 투명한 종이에 글씨를 쓴 후, 점선을 따라 접었을 때 완전히 겹쳐지는 한글 단어를 여러 가지 써 보시오.

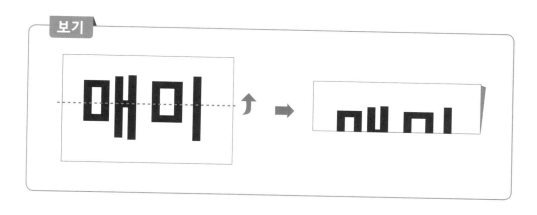

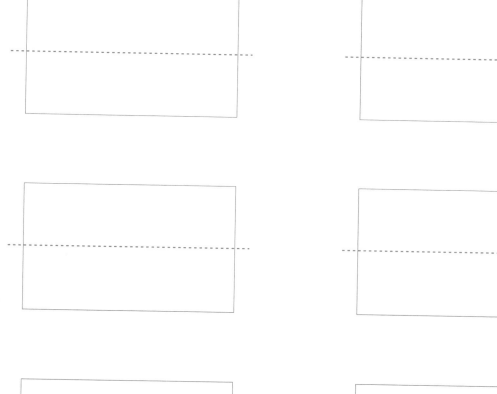

다음 곱셈표를 보고, 여러 가지 규칙을 찾아 쓰시오.

×	1	2	3	4	5	6	7
1	1	2	3	4	5	6	7
2	2	4	6	8	10	12	14
3	3	6	9	12	15	18	21
4	4	8	12	16	20	24	28
5	5	10	15	20	25	30	35
6	6	12	18	24	30	36	42
7	7	14	21	28	35	42	49

① 첫째 번 가로줄의 수가 1씩 커집니다.

②

③

④

⑤

⑥

⑦

⑧

⑨

⑩

다음 수들을 여러 가지 기준으로 나누고, 나눈 기준을 쓰시오.

1, 2, 3, 4, 5, 6, 7, 8, 9, 10, 11, 12

다음과 같이 길이가 3cm, 5cm, 9cm인 막대가 각각 1개씩 있습니다. 3개의 막대를 이용하여 나타낼 수 있는 길이를 모두 구하고, 재는 방법을 식으로 나타내시오.

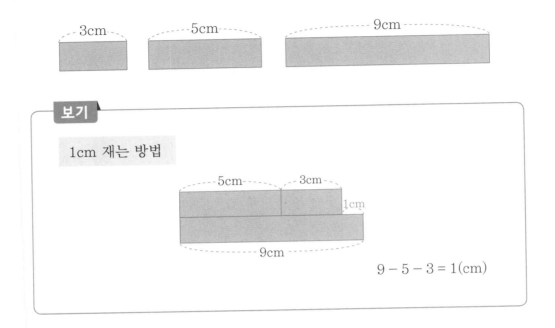

길이(cm)	재는 방법		길이(cm)	재는 방법
1	9 - 5 - 3			

그림과 같이 1cm, 3cm, 7cm, 15cm 길이의 철사가 이어져 있습니다. 철사의 연결 부위는 자유롭게 움직일 수 있다고 합니다. 이것을 이용하여 여러 가지 길이를 잴 수 있는데 가장 짧게는 1cm, 가장 길게는 25cm까지 잴 수 있습니다. 1cm부터 25cm까지 1cm 간격의 모든 길이 중에서 잴 수 있는 길이를 모두 구하고, 식으로 나타내시오.

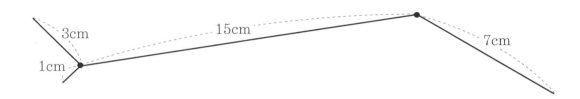

길이(cm)	재는 방법
1	1
2	3 – 1
3	3

길이(cm)	재는 방법

그림과 같이 무게를 잴 수 있는 양팔저울과 추가 있습니다. 추는 오른쪽 접시에, 물건은 왼쪽 접시에 올려놓을 때, 잴 수 있는 무게를 모두 구하고 식으로 나타내시오.

무게(g)	재는 방법
2	2
4	2 + 2

무게(g)	재는 방법

지영이는 역에서 출발하여 아래의 그림과 같은 경로를 따라 관광을 한 후 숙소에 도착하려고 합니다. 지영이가 도서관, 박물관, 편의점, 공연장, 동물원, 화장실의 여섯 장소를 단 한 번씩만 경유해서 숙소에 도착하는 경로를 세 가지 찾아보시오.

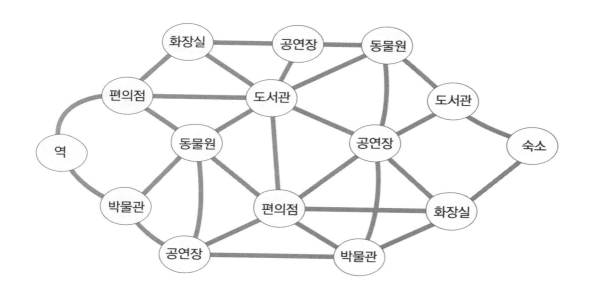

(1) 역 – ☐ – ☐ – ☐ – ☐ – ☐ – ☐ – 숙소

(2) 역 – ☐ – ☐ – ☐ – ☐ – ☐ – ☐ – 숙소

(3) 역 – ☐ – ☐ – ☐ – ☐ – ☐ – ☐ – 숙소

1부터 6까지의 수를 한 번씩 사용하여 화살표의 시작점에 있는 수가 화살표의 끝점에 있는 수보다 크도록 늘어놓는 방법을 모두 구하시오.

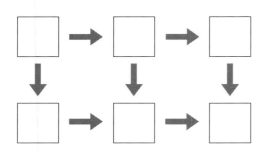
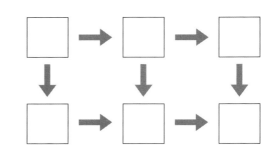

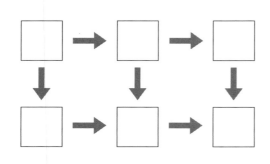
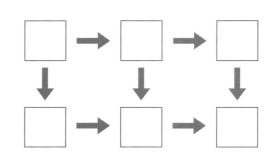

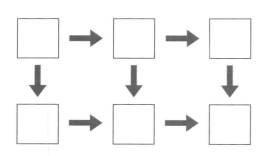

1부터 5까지의 수를 한 번씩 넣어서 한 줄에 있는 세 수의 합을 모두 같게 만들면 다음과 같습니다.

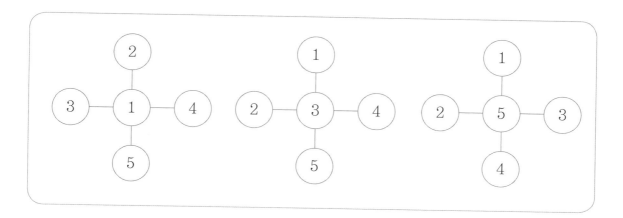

1부터 7까지의 수를 한 번씩 넣어서 한 줄에 있는 세 수의 합을 모두 같게 만드시오.

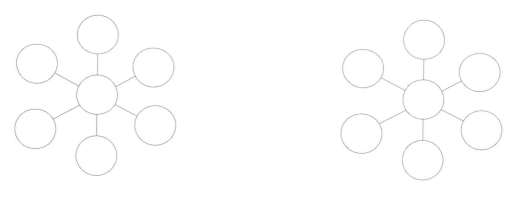

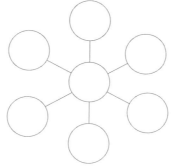

1부터 9까지의 숫자를 사용하여 사각형 안의 빈칸을 규칙 에 맞게 채우시오.

규칙

- 동그라미 안에 있는 숫자는 그 숫자의 오른쪽 또는 아랫쪽 빈칸에 들어가는 숫자의 합을 나타냅니다.

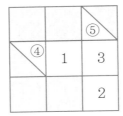

- 네모 칸 안에는 1부터 9까지의 숫자만 넣을 수 있습니다.
- 같은 줄에는 같은 숫자를 중복하여 넣을 수 없습니다.

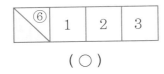

(○)

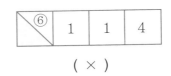

(×)

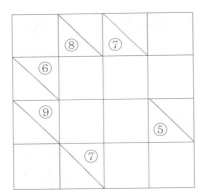

규칙에 맞게 빈칸에 1, 2, 3, 4, 5를 써넣으시오.

규칙

- 가로, 세로 방향으로 1, 2, 3, 4, 5가 한 번씩 들어가야 합니다.
- 굵은 선으로 표시된 조각 안에 모두 다른 수가 들어가야 합니다.

1	2	4	5	3
3	1	2	4	5
5	3	1	2	4
4	5	3	1	2
2	4	5	3	1

2			1	
1			5	
	3		4	
4				5
	4			1

3단계는 각 학교에서 추천된 학생들의 학습능력과 창의적 문제해결 능력을 평가합니다. 영재교육기관(영재학급, 영재교육원)은 창의적 문제해결력 수행 관찰 평가를 통해 정원의 1.2 배수를 선발합니다.

(1) 학교에서 이루어지는 정규 시험으로는 평가하기 힘든 창의성 및 사고력 등의 평가

(2) 전형적인 답변보다는 창의적인 아이디어를 바탕으로 문제를 해결하는지 평가

(3) 문제를 정확히 이해하고 주어진 도구를 활용하여 정확한 표현 방식으로 결과를 표현하는 지 평가

시 기	일 정	내 용	자 료
12월 중순	포트폴리오 검토	• 단위학교 학교추천위원회로부터 제출 받은 포트폴리오 검토 (최종 영재교육대상자의 1.5 배수 학생 선정)	
	단기 프로젝트 평가	• 창의적 문제해결력 수행 관찰을 통하여 정원의 1.2배수 학생 선정	

단계

3

창의적 문제해결력
수행 관찰

01 다음을 읽고 물음에 답하시오.

현재 사용하고 있는 아라비아 수(1, 2, 3, 4, …)가 없던 아주 오랜 옛날 한 양치기 소년이 있었습니다. 양치기 소년은 아침이면 양떼를 풀밭에 풀어 놓고, 해가 지면 양떼를 우리에 가두었습니다. 양치기 소년은 숫자를 사용하지 않았지만 아침에 나간 양이 밤에 모두 우리에 들어왔는지 알 수 있었습니다.

양치기 소년은 숫자가 없는데도 양이 우리에 제대로 들어왔는지 어떻게 알 수 있었을까요? 여러 가지 방법으로 예상해 보고 설명하시오.

02 옛날 원주민들이 수를 세는 방법을 보고 물음에 답하시오.

(1) 아프리카의 피그미족은 다음과 같이 수를 세었는데 4까지 세는 사람은 드물고 7까지 세는 사람은 거의 없었습니다.

1 : 아   2 : 오아   3 : 우아   4 : 오아 오아   5 : 오아 오아 아

피그미족은 6과 7을 어떻게 나타내었을까요? 또, 이와 같이 수를 사용할 때의 불편한 점을 쓰시오.

• 6 : _____   • 7 : _____

> **불편한 점**
>
>
>

(2) 오스트레일리아의 파푸스족은 신체의 각 부위를 사용하여 41까지 수를 나타내었습니다.

5 : 오른쪽 엄지 손가락을 가리킴   12 : 코를 가리킴

파푸스족은 9와 16을 어떻게 나타내었을까요? 또, 이와 같이 수를 사용할 때의 불편한 점을 쓰시오.

• 9 : _____

• 16 : _____

> **불편한 점**
>
>
>

03 이 세상에 숫자가 없다면 불편한 점을 여러 가지 찾아 쓰시오.

- 물건의 가격을 알 수 없어 물건을 사고 팔기 불편하다.

- 시간을 알 수 없어 친구와 약속을 잡기 불편하다.

강의 Note

숫자의 탄생

숫자가 없던 아주 먼 옛날, 사람들은 손가락을 펴 보이거나 '양의 다리 개수만큼(4)'이라는 말로 수를 간단하게 나타내었습니다. 그러다가 신체의 각 부분을 수 대신 이용하기도 했는데, 오스트레일리아 뉴기니아 섬의 원주민 파푸스족은 얼마 전까지만 해도 이런 방법으로 수를 세었다고 합니다.

그 후, 사람들은 사람의 몸을 이용하는 데서 한 걸음 나아가 노끈의 매듭이나 돌멩이, 진흙 등의 물건을 이용하여 더욱 큰 수를 나타낼 수 있게 되었습니다.

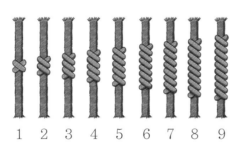

1 2 3 4 5 6 7 8 9

〈잉카의 결승문자〉

231

바빌로니아 수

원시적인 상태에서 벗어나 수의 크기를 한눈에 알아볼 수 있는 최초의 숫자는 메소포타미아의 바빌로니아 숫자입니다. 이 숫자는 진흙으로 만든 판자 위에 쐐기 모양의 문자를 새겨서 보통 '쐐기문자' 또는 '설형문자'라고 부릅니다.

˅	˅˅	˅˅˅	˅˅	˅˅	˅˅˅	˅˅˅	˅˅˅	˅˅˅
1	2	3	4	5	6	7	8	9
‹	‹‹	‹‹‹	˅	˅‹	˅‹‹	˅‹‹‹	˅˅˅‹‹	
10	20	40	60	70	80	100	200	

3
단계

01 곱셈구구 시계를 만들어 보고, 규칙을 찾아봅시다.

(1) 다음 **방법**에 따라 원 위에 선을 그리고 일의 자리 숫자를 알맞게 써넣으시오.

> **방법**
>
> 1. 0에서 시작합니다.
> 2. 곱셈구구를 외우면서 곱의 일의 자리 숫자를 찾아 선을 그어 차례로 연결합니다.

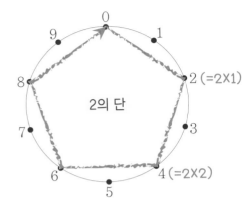

일의 자리 숫자 : 2, 4, 6, 8, 0, 2, 4, 6, 8

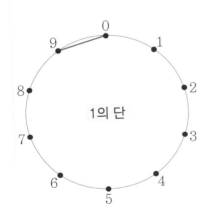

일의 자리 숫자 : _____

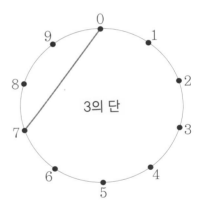

일의 자리 숫자 : _____

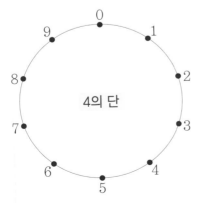

일의 자리 숫자 : _____

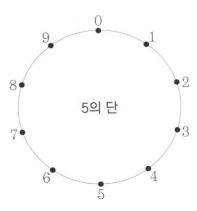

일의 자리 숫자 : _____

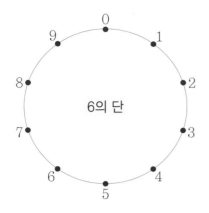

일의 자리 숫자 : _____

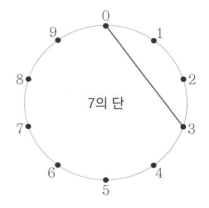

일의 자리 숫자 : _____

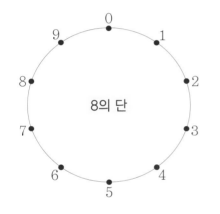

일의 자리 숫자 : _____

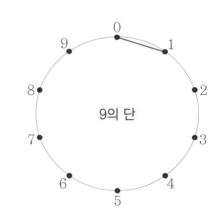

일의 자리 숫자 : _____

(2) 완성된 곱셈구구 시계를 보고 발견할 수 있는 사실을 쓰시오.

· 2의 단, 8의 단 모양이 서로 같습니다.

02 손가락을 이용하면 9의 단 곱셈구구를 할 수 있습니다. 다음 방법에 따라 곱셈을 해 보고 그 원리를 설명하시오.

> **방법**
>
> 1. 양손을 손바닥이 위로 향하도록 펼칩니다.
> 2. 왼쪽부터 손가락에 1부터 10까지의 수를 붙입니다.
> 3. 손가락을 하나씩 접어서 9의 단을 만듭니다.
> 4. 접은 손가락을 기준으로 곱을 알아봅니다.

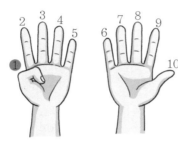

$9 \times 1 = 9$

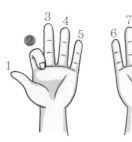

$9 \times 2 = 18$

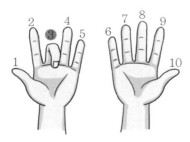

$9 \times 3 = 27$

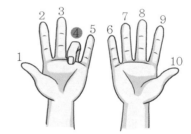

$9 \times 4 = 36$

강의 Note

곱셈구구표에 숨은 규칙

곱셈구구표는 세로줄에 있는 수와 가로줄에 있는 수의 곱을 두 줄이 만나는 칸에 써넣은 표입니다.

×	1	2	3	4	5	6	7	8	9
1	1	2	3	4	5	6	7	8	9
2	2	4	6	8	10	12	14	16	18
3	3	6	9	12	15	18	21	24	27
4	4	8	12	16	20	24	28	32	36
5	5	10	15	20	25	30	35	40	45
6	6	12	18	24	30	36	42	48	54
7	7	14	21	28	35	42	49	56	63
8	8	16	24	32	40	48	56	64	72
9	9	18	27	36	45	54	63	72	81

곱셈구구표에는 다음과 같이 여러 가지 재미있는 규칙이 숨어 있습니다.

• 각 단의 곱은 일정한 수만큼씩 늘어납니다.

　예 2의 단 : 2씩 늘어납니다. 　　5의 단 : 5씩 늘어납니다.

• 각 단의 곱의 일의 자리 숫자는 일정하게 반복됩니다.

　예 2의 단 : 2, 4, 6, 8, 0이 반복됩니다.

　　5의 단 : 5, 0이 반복됩니다.

• 곱셈구구표에 있는 점선(대각선)을 기준으로 수가 대칭입니다.

　➡ 두 수를 곱할 때 순서를 바꾸어 곱하더라도 곱은 같기 때문입니다.

　예 $3 \times 2 = 6 \leftrightarrow 2 \times 3 = 6$ 　　$4 \times 5 = 20 \leftrightarrow 5 \times 4 = 20$

01 모양과 크기가 같은 3개의 금화 중에 1개는 무게가 가벼운 가짜 금화이고, 나머지 2개는 서로 무게가 같은 진짜 금화입니다. 양팔저울을 1번 사용하여 가짜 금화를 찾는 방법을 설명하시오.

①과 ②의 무게 관계	가짜 금화의 번호	이유
① < ②		
① > ②		
① = ②		

02 모양과 크기가 같은 9개의 금화 중에서 1개는 무게가 가벼운 가짜 금화입니다. 다음과 같이 모든 금화가 A, B, C 3개의 주머니에 들어 있다고 할 때, 양팔저울을 가장 적게 사용하여 가짜 금화를 찾는 방법을 설명하시오.

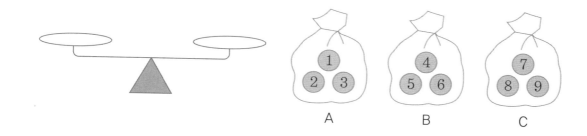

03 모양과 크기가 같은 8개의 금화 중 1개는 무게가 가벼운 가짜 금화입니다. 양팔저울을 가장 적게 사용하여 가짜 금화를 찾는 방법을 설명하시오.

강의 Note

무게를 알 수 없는 가짜 금화

최소 횟수로 양팔저울을 사용하여 가짜 금화를 찾는 문제는 가짜 금화의 무게가 가벼운 경우나 무거운 경우도 있지만 무게를 알 수 없는 경우도 있습니다.

모양과 크기가 같은 3개의 금화 중 1개는 무게를 알 수 없는 가짜 금화입니다. 가짜 금화를 찾기 위해서 양팔저울을 최소 몇 번 사용해야 합니까?

다음과 같이 양팔저울로 금화의 무게를 비교하는 방법을 표로 나타낼 수 있습니다.

①과 ②의 관계	②와 ③의 관계	가짜 금화
	② = ③	①이 가벼운 가짜
① < ②	② > ③	②가 무거운 가짜
	② < ③	불가능한 경우
	② = ③	①이 무거운 가짜
① > ②	② > ③	불가능한 경우
	② < ③	②가 가벼운 가짜
	② = ③	불가능한 경우
① = ②	② > ③	③이 가벼운 가짜
	② < ③	③이 무거운 가짜

따라서 양팔저울을 최소 2번은 사용해야 가짜 금화를 찾을 수 있습니다.

3 단계

01 다음은 스키테일 암호를 만드는 방법을 나타낸 것입니다. 새로운 암호를 만들어 보고, 주어진 암호를 해독해 봅시다.

> ### 암호 제작 방법
>
> 1. 암호로 만들 문장을 씁니다.
>
>   나 팔 소 리 가 울 리 면 공 격 하 라
>
> 2. 문장을 모두 똑같은 글자 수로 나눈 후, 나눈 글자들을 줄을 바꾸어 씁니다.
>
>   나 팔 소 리 / 가 울 리 면 / 공 격 하 라
>   (4)   (4)   (4)
>
>
>
> 3. 가장 왼쪽의 세로줄부터 글자를 차례로 읽으며 가로로 씁니다.
>
> | 나 | 팔 | 소 | 리 |
> |---|---|---|---|
> | 가 | 울 | 리 | 면 |
> | 공 | 격 | 하 | 라 |
>
>   ➡ 나 가 공 팔 울 격 소 리 하 리 면 라

(1) 주어진 글자로 암호를 만들어 보시오.

수 학 은 내 가 제 일 좋 아 하 는 과 목 이 에 요

(2) 주어진 암호를 해독하시오.

범 윗 자 인 집 이 은 남 다

02 다음은 시저 암호를 만드는 방법을 나타낸 것입니다. 새로운 암호를 만들어 보고, 주어
진 암호를 해독해 봅시다.

암호 제작 방법

1. 암호로 바꿀 글자와 암호를 풀 수 있는 Key를 정합니다.
   (*Key : 암호를 푸는 단서)

   암호로 바꿀 글자 : SEOUL , Key : 2

2. Key로 정한 수만큼 알파벳을 순서대로 밀어서 다른 글자로 바꾸어 나타
   냅니다.

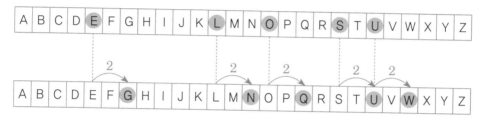

암호 : UGQWN

(1) 주어진 글자로 암호를 만들어 보시오. (Key : 4)

JUICE

(2) 주어진 암호를 해독하시오. (Key : 3)

FKDLU

3

단계

03 암호는 주로 전쟁 중에 중요한 명령을 전달할 때, 상대가 내용을 알아내기 힘들게 하기 위해서 사용되었지만 지금도 암호는 다양하게 사용되고 있습니다. 여러분도 숨기고 싶은 말을 나만의 암호로 바꾸어 봅시다.

암호 이름 : _____

암호로 만들 문장

암호를 만드는 방법

암호문

강의 Note

수 암호

수 암호는 도형이나 문자를 수로 바꾸는 방법을 사용하는 암호입니다.

ㄱ	ㄴ	ㄷ	ㄹ	ㅁ	ㅂ	ㅅ	ㅇ	ㅈ	ㅊ	ㅋ	ㅌ	ㅍ	ㅎ
1	2	3	4	5	6	7	8	9	10	11	12	13	14

ㅏ	ㅑ	ㅓ	ㅕ	ㅗ	ㅛ	ㅜ	ㅠ	ㅡ	ㅣ
①	②	③	④	⑤	⑥	⑦	⑧	⑨	⑩

암호문

2 ⑤ 4 8 ⑩ 3 ⑤ 8 7 ① 2

➡ **암호문 해독**

놀이동산

곱 암호

곱 암호는 제 1차 세계 대전 때 독일군이 사용한 암호로서 알파벳과 숫자가 쓰여 있는 표를 이용하여 암호로 만들어 사용하였습니다.

×	1	2	3	4	5
1	A	F (1, 2)	K	P	U
2	B	G	L	Q	V
3	C	H	M	R	W
4	D	I	N	S	X
5	E	J	O (5, 3)	T	Y

암호문

(1, 2), (1, 1), (3, 1),
(5, 4), (5, 3)

⬇

암호문 해독

FACTO

숫자를 이용하는 숫자 퍼즐은 퍼즐의 규칙과 모양, 크기 등에 따라 그 종류가 다양합니다.

01 다음 규칙에 따라 지뢰 7개가 있는 칸을 더 찾아 ★표 하시오.

> **규칙**
>
> 1. 작은 정사각형 안의 숫자는 그 사각형을 둘러싸고 있는 작은 정사각형에 있는 지뢰의 개수입니다.
>
>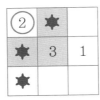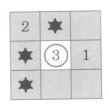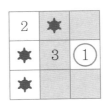
> 지뢰 2개 　　　　지뢰 3개 　　　　지뢰 1개
>
> 2. 숫자가 있는 칸에는 지뢰가 없습니다.

지뢰 찾기 퍼즐

1			1	1	★	2		1
2	★	2	1	1	1	2		1
★	2	2				2	2	2
1	1			1		1		1
						1	1	1
	1	1	1					
	1		1		1	1	1	
	1	1	1		2		3	1
					2		★	

02 다음 **규칙**에 따라 숫자 미로 퍼즐을 풀어 보시오.

규칙

1. 색칠한 칸의 수에서 출발하여 가로, 세로 방향 중 한 방향을 선택하여 그 칸에 쓰여 있는 수만큼 이동합니다.

2. 도착한 곳에서 다시 가로, 세로 방향 중 한 방향을 선택하여 그 칸에 쓰여 있는 수만큼 이동합니다.

3. 도착 지점까지 가장 짧은 방법으로 가는 길을 찾습니다.

숫자 미로 퍼즐

5	3	5	1	4	2
2	4	3	4	3	2
5	4	5	2	1	5
4	2	1	4	4	2
3	5	2	1	3	3
2	4	4	5	2	도착

03 규칙을 정하여 나만의 퍼즐을 만들어 보시오.

퍼즐 이름 : _____

규칙

강의 Note

여러 가지 숫자 퍼즐

❶ 스도쿠 퍼즐

스도쿠(sudoku)는 數獨(수독), 즉 외로운 숫자라는 뜻의 한자어의 일본식 이름으로 가로 세로로 숫자를 겹치지 않게 써넣는 숫자 퍼즐입니다.

규칙

• 각 가로줄과 세로줄에 1부터 9까지의 숫자를 중복되지 않게 한 번씩만 씁니다.

• 3×3 크기의 굵은 선으로 둘러싸인 정사각형 안에도 1부터 9까지의 숫자를 중복되지 않게 한 번씩만 씁니다.

9	7	4	5	2	8	3	1	6
6	5	2	9	1	3	4	8	7
3	8	1	4	6	7	2	9	5
5	1	6	8	3	2	9	7	4
2	9	8	7	4	6	5	3	1
4	3	7	1	5	9	8	6	2
1	6	3	2	8	4	7	5	9
8	2	9	6	7	5	1	4	3
7	4	5	3	9	1	6	2	8

❷ 가쿠로 퍼즐

가쿠로(kakuro)는 더하기란 뜻의 '가(加)'와 영어 '크로스(cross)'의 일본식 발음 '쿠로'가 합쳐져 만들어진 이름으로 가로세로 숫자의 합을 만들어 내는 숫자 퍼즐입니다.

규칙

• 색칠한 삼각형 안의 수는 삼각형의 오른쪽 또는 아래쪽으로 쓰인 수들의 합을 나타냅니다.

• 빈칸 안에는 1부터 9까지의 숫자만 쓸 수 있습니다.

• 삼각형과 연결되어 있는 줄에는 같은 숫자가 들어가지 않습니다.

예

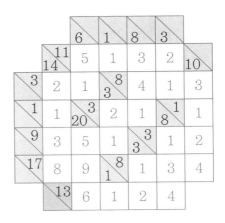

4단계는 면접관이 학생들과 직접 대면하여 평가하는 방법으로 학생들의 특성을 역동적이고 다면적으로 파악하여 평가합니다. 기존에 수집된 정보로 확인된 학생의 특성을 재검증하기 위한 수단이며 학생들의 특성을 심층적으로 파악합니다.

(1) 인성, 학문적성, 창의성, 과제집착력 등 4개 유형을 종합 평가
(2) 지원자의 해당 분야에 대한 관심과 열정을 가늠하고 대화를 통해 대인관계까지 파악
(3) 지원자의 논리적인 표현 방식과 말하는 태도 등 평가
(4) 평소 관심 있어 하는 분야나 포트폴리오(결과보고서 혹은 자기소개 등)에 대한 주도적이고 자신감 있는 태도 파악
(5) 2013학년도 선발 전형부터 점수 부여

시 기	일 정	내 용	자 료
12월 말	의사소통 평가	• 심층 면접 문항 개발 및 평가 실시	선발도구 4-1
	영재교육 대상자 선정	• 영재교육대상자 최종 선정 및 발표 • 최종 영재교육대상자에 대한 영재교육 실시	

단계

4

인성 및 심층 면접

1. 면접자료 선발도구 4-1

면접 자료

이름		소속학교		학년	
지원과정			지원분야		

이 자료는 면접 평가 참고 자료이며, 면접관이 질문할 내용을 포함하고 있습니다. 지원자는 아래의 질문에 대하여 구체적인 사례를 중심으로 자신의 생각이나 경험했던 사실을 바탕으로 답변을 적어두시기 바랍니다.

---

1. 30년 후에 나는 어떤 직업을 갖고 있을까요? 그 직업이 다른 사람에게 어떤 도움을 줄 수 있는지 3가지 이상 말해 보시오.

---

2. 사각형 운동장과 타원형 운동장이 있습니다. 두 운동장의 좋은 점과 나쁜 점을 비교하여 말해 보시오.

3. 무인도에 5가지 물건을 가지고 갈 수 있습니다. 이때 가지고 갈 물건 5가지는 무엇이며, 가지고 가려는 이유를 구체적으로 설명해 보시오.

4. 자신이 지원한 분야와 관련하여 흥미를 가지고 오랫동안 집중해서 한 일은 무엇입니까? 그때의 느낌은 어땠는지 말해 보시오.

4
단계

영재교육 대상자 선발의 마지막 단계는 면접입니다. 면접을 통해 인성뿐만 아니라 사교육에 의한 선행학습 요인을 배제하고, 창의성과 과제집착력 등 보다 다양한 학생의 특성을 확인하게 됩니다.

01 면접 방법

영재교육 대상자 선발을 위한 면접은 개별 심층 면접으로 질문지 등을 활용한 방식으로 진행됩니다.

02 면접 과정

수험생은 면접 고사장에 들어가기 전 면접 준비실에서 주어진 시간동안 문항지를 보고 답안을 미리 생각한 후 면접에 참여합니다.

1. 면접 대기실

수험생은 감독 위원의 지시가 있을 때까지 대기실에서 기다립니다.

2. 면접 준비실

감독 위원의 지시에 따라 면접 준비실로 이동한 후 주어진 시간 동안 문항지를 보고 답안을 미리 생각합니다.

3. 면접 고사장

정해진 시간 동안 미리 생각한 답안을 면접 위원에게 설명합니다.

| **인성** | 인성은 학생의 사고와 태도 및 행동 특성을 파악하기 위한 문항입니다.

Q1. 다음 글을 읽고 선생님, 정훈이와 우찬이 행동의 본받을 점을 한 가지씩 이야기해 보시오.

> 우찬이는 얼마 전 복도에서 넘어져 한쪽 팔을 다친 친구입니다. 심술궂은 아이들이 우찬이의 모습을 흉내 내며 계속 놀렸습니다. 그러던 어느 날, 화를 참지 못한 우찬이는 놀리는 아이들을 향해 필통을 던졌습니다. 필통은 마침 교실로 들어오시던 선생님의 몸에 맞았습니다. "아야! 누가 필통을 던졌어?"하는 선생님의 화난 물음에 갑자기 교실이 조용해졌습니다.
>
> 한동안 침묵이 흐른 후, 한 친구의 목소리가 들렸습니다. "제가 그랬습니다." 항상 친절하고 의젓하게 행동하던 정훈이가 일어서며 말했습니다. 아이들은 어리둥절해졌습니다. 그러자, 우찬이가 "아닙니다. 선생님, 제가 그랬습니다. 놀림을 받고 화를 참지 못했습니다."라고 솔직하게 일어서서 말했습니다. 선생님은 정훈이의 배려하는 마음을 칭찬하며 우찬이의 실수를 너그럽게 용서하셨습니다. 장난을 쳤던 아이들도 크게 부끄러워하며 우찬이에게 사과했습니다.

Q2. 자신이 존경하는 인물이 누구입니까? 그 사람에게 본받을 점을 설명해 보시오.

Q3. 실험 보고서를 같이 하는데 친구가 지쳐있으면 어떻게 위로하여 같이 하겠습니까?

Q4. 30년 후에 나는 어떤 직업을 갖고 있을까요? 그 직업이 다른 사람들에게 어떤 도움을 줄 수 있는지 3가지 이상 말해 보시오.

Q5. 생활 속에서 작은 실천을 통해 다른 이에게 이로움을 줄 수 있는 선행의 사례를 3가지만 제시하시오.

Q6. 자신의 장점을 설명하고, 영재교육원에 합격하게 된다면 어떻게 활동할 것인지 자신의 장점과 연관 지어 말해 보시오.

Q7. 자신의 꿈을 실현하기 위한 방법을 5가지만 말해 보시오.

Q8. 학급 일을 방해하는 친구가 있다면 어떻게 할 것인지 말해 보시오.

4
단계

Q1. 생활 속에서 분수의 덧셈과 뺄셈이 이용되는 경우를 찾아 문제를 만들고, 풀이 과정을 설명하시오.

Q2. 다음 두 그림 A, B를 보고, 그림 B에는 없고 그림 A에만 있는 규칙을 아는 대로 모두 말해 보시오.

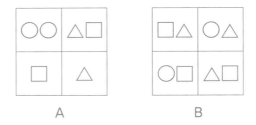

Q3. 숫자가 실생활에서 이용되는 예를 4가지 말해 보시오.

Q4. 수학책의 길이를 알고 있을 때, 학교의 높이를 어림할 수 있는 다양한 방법을 생각해 설명해 보시오.

Q5. 공 9개를 2개 또는 3개의 바구니에 나누어 담으려고 합니다. 이때 각각의 바구니에 담는 공의 수는 오른쪽으로 갈수록 많아져야 합니다. 공 9개를 나누어 담는 서로 다른 방법을 모두 말해 보시오.

> [공 3개를 2개의 바구니에 담는 방법]
> – 바른 예 : (1개, 2개)
> – 틀린 예 : (2개, 1개), (0개, 3개)

Q6. 사각형 운동장과 타원형 운동장이 있습니다. 두 운동장의 좋은 점과 나쁜 점을 비교하여 말해 보시오.

참고 「2단계 Part 2 창의적 문제해결력 검사」, 「3단계 창의적 문제해결력 수행 관찰」과 유사한 문항이 출제되고 있습니다.

| 창의성 | 영재의 중요한 특성 중의 하나인 창의성을 확인하는 문항이다.

Q1. 전기난로는 전류를 흘려 발생하는 열로 실내의 온도를 따뜻하게 해줍니다. 하지만 편리한 만큼 위험성도 안고 있기 때문에 사용과 관리에 있어 안전을 우선 고려해야 합니다. 아래 제시된 사진을 보고 전기난로에 적용할 수 있는 안전 장치들을 5가지 이상 제시하시오.

Q2. 목욕탕의 물을 이용하여 내 몸무게를 측정하는 방법을 3가지 말해 보시오.

Q3. 주변 물건 중 1개를 선택하고 그 물건이 가질 수 있는 용도를 최대한 많이 말해 보시오.

Q4. 무인도에 5가지 물건을 가지고 갈 수 있습니다. 이때 가지고 갈 물건 5가지는 무엇이며, 가지고 가려는 이유를 구체적으로 설명해 보시오.

> **참고** 「2단계 Part 1 영재성 검사」와 유사한 문항이 출제되고 있습니다.

| 과제집착력 | 창의적 수행 과정과 관련된 문항으로 과제집착력을 확인하는 문항이다.

Q1. 자신이 지원한 분야와 관련하여 흥미를 가지고 오랫동안 집중해서 한 일은 무엇입니까? 그때의 느낌은 어땠는지 말해 보시오.

Q2. 친구와 함께 내일까지 자유 탐구 보고서를 제출해야 합니다. 친구가 미룬다면 나는 어떻게 할 것인지 말해 보시오.

Q3. 친구와 몇 시간동안 실험을 했는데 10번을 실패하였습니다. 그때 친구가 도저히 안되겠다며 그만하자고 합니다. 어떻게 하겠습니까?

memo

memo

memo

영재학급 · 영재교육원 대비서

팩토
영재성검사
창의적 문제 해결력

수학

— 정답과 풀이 —

초 등
3 ~ 4
학 년

매스티안

팩토
영재성검사
창의적 문제해결력

수학

─ 정답과 풀이 ─

초등
3 ~ 4
학년

매스티안

창의성　**①**　그림 완성하기

P. 052

연습하기

P. 055

01 |문제 개요| 친구의 완성된 그림을 보고, 그림의 장단점을 찾아 어떻게 해야 더 독창적인 그림이 될지 생각해 보는 연습을 하는 문제입니다.

|답안 예시|

다른 사람과 다르게 표현한 부분

① 고양이의 발톱, 콧수염, 무늬 등을 그렸습니다.

② 빨리 도망가는 쥐의 다리를 재미있게 그렸습니다.

③ 쥐의 땀, 쥐의 뒤쪽에 먼지가 일어나는 부분을 그렸습니다.

|Point|

❶ 그림 완성하기는 최소 기본 요소 이외에도 부수적으로 세부 묘사를 하여야 유창성의 점수를 받을 수 있습니다.

❷ 다른 친구들의 그림을 보면서, 그 친구의 그림에서 잘 표현한 부분과 아쉬운 부분을 찾아 서로 이야기 하며 독창적인 표현들을 익히도록 합니다.

❸ 살아있는 대상이나, 살아있지 않은 대상을 의인화해서 그릴 때에는 풍부한 표정이나 감정을 꼭 표현해 주는 것이 좋습니다.

02 |문제 개요| 현실에 없는 상상이나 환상 속의 물고기를 그리고, 설명하는 문제입니다.

|답안 예시|

물고기 이름 : 어디든지

그림 설명

물 속에서 헤엄을 칠 수도 있고, 육지에서 뛰어
다닐 수도 있고, 하늘을 날 수도 있는 동물이
다. 새와 육지 동물 사이를 왔다갔다 하는 박쥐
같은 동물 이라서 다른 동물들이 미워하지만 이
동물은 어디든지 갈 수가 있다.

물고기 이름 : 로꾸꺼

그림 설명

뒷부분에 꼬리가 있는 것이 아니라 머리가 있는
앞부분에 꼬리가 있어서 보통의 물고기와는 반대
방향으로 헤엄을 친다.

|Point|

❶ 현실에 없는 상상 속의 물고기를 독창적인 방법으로 표현하도록 합니다. 물고기가 너무 독
특한 경우 그림의 설명을 자세히 하여 그림을 그린 의도를 정확하게 전달하도록 합니다.

❷ 새롭게 만들어 낸 물고기의 이름도 '○○ 물고기' 라고 짓기 보다는 특징에 맞게 재미있게
짓도록 합니다.

03 |문제 개요| 주어진 도형을 이용하여 자유롭게 그림을 그리고, 제목을 짓는 연습을 하는 문제입니다.

|답안 예시|

제목 : <u>사랑의 만찬</u>

|Point| ❶ 주어진 도형을 이용하여 그림을 그리는 경우에는 주어진 도형만으로 그림을 완성하기 보다는 그 도형 이외에도 추가적으로 세부 묘사를 하여야 합니다.

❷ 위의 예시 답안에서 추가적인 세부 묘사는 물고기의 물결 무늬 비늘, 국 그릇 안의 콩나물, 밥 그릇 안의 밥, 밥과 국에서 김이 나는 모습 등이 있습니다.

❸ 그림의 제목은 상징적으로 그림을 표현할 수 있는 것이어야 합니다.

01 |문제 개요| 주어진 도형 위에 그림을 그리고, 제목을 붙이는 문제입니다. (10점)

|답안 예시|

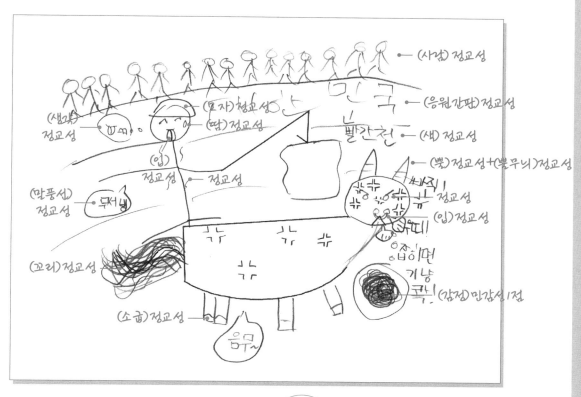

제목 : 악율리는 투우사와 화가난 황소 ← (제목 그림 설명) 융통성 1점

(감점)
민감성 1점

아이디어(16개) : 4점
융통성　　　： 1점
정서적민감성 ： 2점
　　　　　　 7점

|Point|

❶ 주어진 도형 위에 그림을 그려 완성하는 경우에는 주어진 도형만으로 그림을 완성하기 보다는 그 도형 이외에도 추가적으로 세부 묘사를 하여야 합니다.

❷ 위의 예시 답안에서 추가적인 세부 묘사는 황소의 화난 눈빛, 콧김, 꼬리의 세부 묘사, 황소의 발굽, 관중, 투우사의 혀 내민 모습, 떠는 모습, 땀 흘리는 모습 그리고 황소와 투우사의 생각을 표현한 말풍선 등이 있습니다.

❸ 그림의 제목은 상징적으로 그림을 표현할 수 있는 것이어야 합니다.

❹ 아이디어의 개수에 따라 채점합니다.

아이디어의 개수	점수
1 ~ 5개	1점
6 ~ 10개	2점
11 ~ 15개	3점
16 ~ 20개	4점
21개 이상	5점

02 |문제 개요| 동상을 만들고, 동상의 이름과 업적을 소개 하는 문제입니다.(5점)

|답안 예시|

세부묘사(9개): 2점

문구(2점)

|Point|

❶ 유명한 조각인 '생각하는 사람'과 학교 운동장에서 흔히 볼 수 있는 위인 동상을 비교해 봅니다. 로댕의 조각상이 예술 작품으로 평가받는 이유는 생각에 빠져 있는 사람의 고뇌, 즉 정서적인 느낌을 훌륭하게 표현했기 때문입니다.

❷ 중복되어 나타나는 표현은 하나의 아이디어로 보고, 무엇을 표현하는지 알 수 없거나 너무 추상적인 표현은 아이디어로 인정하지 않습니다.

❸ 다음 기준에 따라 채점합니다.

동상의 문구 채점 기준	점수
문구가 그림 속 대상의 감정, 생각을 나타낸 경우	2점
문구가 그림에 대한 단순한 설명인 경우	1점
문구가 하나의 이름이나 명사인 경우	0점

아이디어의 개수	점수
1 ~ 8개	1점
9 ~ 15개	2점
16개 이상	3점

연습하기

01 |문제 개요| 우리 주변에서 찾을 수 있는 사각형 모양의 물건을 종류별로 분류하는 연습을 하는 문제입니다.

|답안 예시|

사각+물건

사각 팬티, 사각 턱, 사각 봉투

흔한 사각형 모양

식빵, 문짝, 이불, 국기, 모니터, 냉장고

동물, 식물

코끼리의 다리, 통나무 앞 모습, 황소 얼굴, 김

인간이 만든 물건

책, 지갑, 책상, 박스, 도마, 지우개, 간판, A4용지, 액자, 쟁반, 지폐

기타

야구 경기장, 피아노 건반, 횡단보도, 밭, 라면 봉투

|Point|
❶ 같은 모양 찾기는 가능한 많은 아이디어를 쓰는 것이 중요합니다.
❷ 아이디어들이 같은 분류 안에 들어 있지 않은 것이 많을수록 좋습니다.

02 | 문제 개요 | 하늘에서 연상되는 것을 다양하게 적는 문제입니다. (5점)

| 답안 예시 |

① 파란색

② 새

③ 자유

④ 붉은색

⑤ 빗방울

⑥ 선녀

⑦ 별

⑧ 천국

⑨ 비행기

⑩ 날씨

⑪ 하느님

⑫ 해

⑬ 초능력

⑭ 구름

⑮ 우주

⑯ 무지개

⑰ 천사

⑱ 잭과 콩나무

⑲ 풍선

⑳ 천사

㉑ 지옥

㉒ 옥황상제

㉓ 무한함

㉔ 헬리곱터

㉕ UFO

㉖ 잠자리

㉗ 나비

㉘ 엄마같은 하늘

㉙ 내 마음 같은 하늘

㉚ 바다 같은 하늘

| Point |

❶ 자연현상(비, 안개, 무지개, 바람 등), 하늘에 존재하는 것(해, 달, 별 등), 조류(새, 나비, 벌 등), 하늘의 속성(파랗다, 넓다, 높다, 크다 등), 초자연적 존재(하느님, 천사, 지옥 등) 등과 같은 아이디어는 1개로 봅니다.

❷ 비유적 표현으로 쓴 경우(엄마 같은 하늘, 바다 같은 하늘 등)에는 각각 다른 아이디어로 봅니다.

03 |문제 개요| 여러 가지 표정을 그리고, 그 표정에 대하여 설명하는 문제입니다.

|답안 예시|

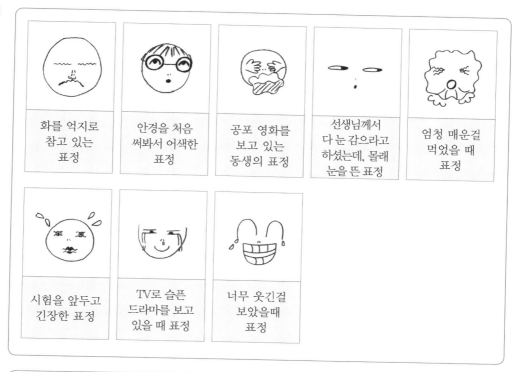

|Point|

❶ 비슷한 감정이 아닌 다양한 감정의 얼굴을 표현하는 것이 좋습니다.

❷ 아래와 같이 전형적인 감정의 얼굴표정보다는, 위와 같이 특별한 상황에서의 얼굴 표정이 더 좋은 평가를 받을 수 있습니다.

실전문제

01 |문제 개요| 주어진 똑같은 그림을 이용하여, 여러 가지 그림을 그리고 제목을 붙이는 문제입니다.

|답안 예시|

보기
제목 : 텔레비젼

제목 우유

제목 · 집

제목 : 시루떡

제목 : 우체통

제목 휴지

제목 : 액자

제목 의자

제목 : 박경점

제목 휴지통

제목 : 이 (아빠)

제목 · 옷 (티셔츠)

아이디어(8개) : 4점

|Point|

❶ 주어진 선 2개를 이용하여 다양한 그림을 그리는 문제입니다. 그러나 위의 그림에서 우유, 휴지통 등과 같이 비슷한 모양의 그림의 경우에는 1개의 아이디어로 봅니다.

❷ 아이디어의 개수에 따라 채점합니다.

아이디어의 개수	점수
1 ～ 2개	1점
3 ～ 4개	2점
5 ～ 6개	3점
7 ～ 8개	4점
9개 이상	5점

02 |문제 개요| 답이 달걀 또는 알이 될 수 있도록 문제를 만들어 보는 문제입니다. (5점)

|답안 예시| ✔① 에디슨이 어릴 때 닭을 만들기 위해 품었던 것은?

✔② 눈두덩이에 멍이 들었을 때, 눈에 문지르는 것은?

✔③ 코끼리, 개, 돼지 등은 새끼를 낳지만 개구리, 새들은 이것을 낳습니다. 이것은?

✔④ 찜질방에서 주로 먹는 간식인데, 맥반석에서 구워 나오는 동그란 것은?

✔⑤ 국수의 고명 중에서 흰색과 노란색은 이것으로 만듭니다. 이것은?

✔⑥ 신라의 시조인 박혁거세는 이것을 깨고 태어났습니다. 이것은?

✔⑦ 딱딱한 껍질로 둘러싸여 있고, 흰 액체 안에 노란 액체가 있습니다. 이것은?

⑧ 떨어뜨리면 깨어집니다. 이것은? ● —— 아이디어 X

⑨ 조류가 번식을 위해 낳는 것은?

✔⑩ 부활절에 성당에서 나누어 먹는 동그란 것은?

같은 아이디어

아이디어(8개): 4점

|Point|

❶ 같은 아이디어가 반복되는 경우는 1개의 아이디어로 평가합니다.

❷ 채점자가 판단하여 정말 관계없이 엉뚱하거나 무엇을 표현하고자 하였는지 판독이 어려운 아이디어는 인정하지 않습니다.

❸ 아이디어의 개수에 따라 채점합니다.

아이디어의 개수	점수
1 ~ 2개	1점
3 ~ 4개	2점
5 ~ 6개	3점
7 ~ 8개	4점
9 ~ 10개	5점

연습하기

01 |문제 개요| 주어진 두 물건의 공통점을 찾아내는 문제입니다.

|답안 예시|

① 깨끗하게 합니다.

② 가볍습니다.

③ 문지릅니다.

④ 작습니다.

⑤ 주로 흰색 계통입니다.

⑥ 위아래가 없습니다.

⑦ 좌우가 없습니다.

⑧ 공장에서 만듭니다.

⑨ 무언가에 둘러싸여 있습니다.

⑩ 쓰면 쓸수록 없어집니다.

⑪ 가격이 싼 편입니다.

⑫ 과거에는 없던 물건입니다.

⑬ 모양이 다양합니다.

⑭ 좋은 향기가 납니다.

⑮ 우리 엄마가 좋아하는 물건입니다.

⑯ 부서지거나 깨지지 않습니다.

⑰ 문지르면 결과물이 눈에 보입니다.

　　(지우개 가루과 거품)

⑱ 결과물을 후 불면 날아갑니다.

⑲ 손에 꼭 들어갑니다.

⑳ 모음 'ㅣ, ㅜ'로 시작합니다.

|Point|

❶ 공통점 1개를 아이디어 1개로 평가하지만, 공통점이라고 보기 힘든 것은 아이디어로 인정하지 않습니다.

❷ 외형적인 공통점 외에도 기타 다른 공통점도 모두 아이디어 1개로 산정합니다.

02 |문제 개요| 앞 문장과 뒷 문장이 서로 연결이 되도록 문장을 만들어 보는 문제입니다.

|답안 예시| 맛있으면 바나나 → 바나나는 원숭이 → 원숭이는 손오공 → 손오공은 서유기 → 서유기는 이야기 → 이야기는 할머니 → 할머니는 주름 → 주름은 다리미 → 다리미는 뜨거워 → 뜨거운 것은 태양 → 태양은 여름 → 여름은 바다 → 바다는 물고기 → 물고기는 붕어 → 붕어는 낚시 → 낚시는 호수 → 호수는 조용해 → 조용한 것은 도서관 → 도서관은 책 → 책은 네모나 → 네모난건 TV → TV는 방송국 → 방송국은 연예인 → 연예인은 가수 → 가수는 콘서트 → 콘서트는 시끄러워 → 시끄러운 것은 기차 → 기차는 길어 → 긴 것은 자 → 자는 반듯해 → 반듯한 것은 군인 → 군인은 용감해 → 용감한 것은 진돗개 → …

|Point|

❶ 보기와 형태가 같은 문장을 아이디어로 산정하고, 앞 문장과 뒷 문장의 명사가 연결되지 않은 경우는 아이디어 2개를 모두 인정하지 않습니다.

❷ 연관이 없는 것으로 쓴 문장은 아이디어로 인정하지 않습니다.
　예 바나나는 파래, 기차는 맛있어

03 |문제 개요| 주어진 2개의 단어를 공통적으로 설명할 수 있는 단어를 찾아내는 연습을 하는 문제입니다.

|답안 예시| (1) 운동장 – | 넓다, 모래알, 많은 일이 일어난다 | – 바다

(2) 책 – | 이야기, 신사임당, 요리, 아는 것이 많다, 보고 싶다 | – 어머니

(3) 시험 – | 긴장된다, 궁금하다, 1등 | – 선물

(4) 슬프다 – | 이유가 있다, 유언장, 이별 | – 편지

(5) 밥 – | 하얗다, 없어서는 안 된다, 건강 | – 병원

(6) 월드컵 – | 축구, 빨강 | – 양말

|Point| ❶ 먼저 한 단어의 특징을 가능한 많이 적어, 나머지 단어의 특징과 겹치는 것을 찾아냅니다.
❷ 시각적인 공통점보다는 정서적인 공통점을 찾도록 합니다.
　예 시험 – | 긴장된다, 궁금하다 | – 선물

실전문제

01 |문제 개요| 관련이 없는 단어를 서로 연관시켜 외우기 쉽도록 그림과 이야기로 표현하는 문제입니다. (6점)

|답안 예시|

3점

그림 설명 영철이는 수박밭의 (수박)을 미쳐 못보고 넘어져, 들고 있던 (풍선)을 놓쳤습니다.

풍선은 (사과나무)의 높은 곳에 걸려 버렸습니다. 이때, 옆의 연못에 사는 (물고기)

가 나타나 영철이에게 (톱)으로 나무를 자르면 된다고 알려 주었습니다.

3점

|Point|

❶ 그림과 이야기를 꼼꼼하게 잘 그리고 잘 써야 하지만, 우선 이 문제의 의도가 단어를 외우기 위해 그림을 그리고, 이야기를 쓰는 것이라는 것에 주의해야 합니다.

❷ 따라서 너무 긴 이야기나 복잡한 그림은 오히려 문제의 의도에 맞지 않습니다.

❸ 다음 기준에 따라 항목별로 각각 채점합니다.

기준	점수
주어진 단어는 모두 표현하고, 이야기의 인과관계가 통일성이 있는 경우	3점
주어진 단어는 모두 표현하였으나, 이야기의 인과관계가 없는 경우	2점
주어진 단어를 모두 표현하지 못한 경우	1점

02 |문제 개요| 출발 단어에서 도착 단어까지 자유로운 연상으로 연결해 보는 문제입니다. (5점)

|답안 예시|

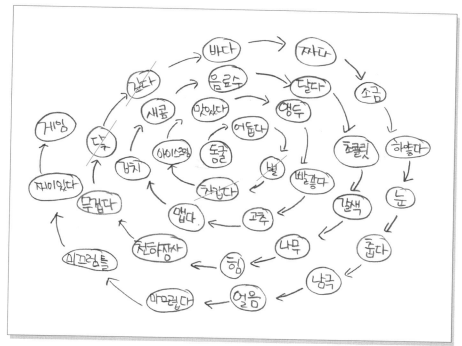

아이디어(30개) : 5점

|Point| ❶ 다음과 같은 연상은 아이디어로 평가하지 않습니다.
ⅰ) 너무 비약적이거나 허황된 연상 📄 구름 – 버스 – 고양이
ⅱ) 모든 것과 연상될 수 있는 단어를 사용한 경우 📄 좋은 것 – 사랑
ⅲ) 순환되는 연상 📄 밥 – 반찬 – 식사 – 공기밥

❷ 아이디어의 개수에 따라 채점합니다.

아이디어의 개수	점수
1 ~ 5개	1점
6 ~ 10개	2점
11 ~ 15개	3점
16 ~ 20개	4점
21개 이상	5점

▌연습하기

01 |문제 개요| 모자가 바람에 날아가지 않게 하기 위해서 다양하고 기발한 아이디어를 여러 가지 분류 방법으로 제시하는 연습을 하는 문제입니다.

|답안 예시|

┌─ **신체 일부를 사용** ─────────────────────────┐
- 바람이 오는 방향으로 머리를 숙여 모자를 머리에 꽉 눌러 쓰고 걷는다.
- 머리카락으로 모자를 엮는다.
- 모자를 입에 물고 있다.
└──┘

┌─ **도구를 사용** ───────────────────────────┐
- 나뭇가지로 모자가 날아가지 않게 고정시킨다.
- 모자를 가방 속에 넣는다.
- 우산을 이용해 바람을 막는다.
└──┘

┌─ **동물, 식물을 사용** ─────────────────────┐
- 모자 위에 새 모이를 놓아서, 새가 모자 위에 앉도록 한다.
- 모자 위에 원숭이를 올려 놓는다.
- 덩굴로 모자를 묶는다.
└──┘

┌─ **다른 사람의 도움** ──────────────────────┐
- 엄마, 아빠에게 손으로 모자를 잡아 달라고 한다.
└──┘

┌─ **기타** ───────────────────────────────┐
- 모자에 챙을 없애 바람에도 안 날아가게 한다.
- 모자와 옷을 연결한다.
- 바람이 안 부는 실내로 빨리 들어간다.
└──┘

|Point| ❶ 해결 방법이 합리적이고 어느 정도 현실적으로 가능한 것이어야 합니다.

❷ 남들이 쉽게 생각할 수 있는 것보다는 자기만의 독창적인 아이디어를 생각하도록 합니다.

02 |문제 개요| 동화 '여우와 두루미'에서 서로에게 골탕을 먹지 않기 위한 방법을 생각해 보는 연습을 하는 문제입니다.

|답안 예시| (1) ① 스폰지로 고깃국을 흡수시킨 후, 부리로 스폰지를 짜서 먹는다.

② 굵은 빨대를 이용해서 먹는다.

③ 깔대기를 이용해서 호리병으로 옮겨 먹는다.

④ 접시의 모서리에 부리를 갖다 댄 후, 접시를 기울여서 먹는다.

⑤ 숟가락을 이용한다.

(2) ① 병을 흔들어서 생선을 부순 후 먹는다.

② 긴 젓가락을 이용한다.

③ 호리병에 낚시줄을 넣어 생선을 잡아 먹는다.

④ 생선을 굶겨 호리병을 뒤집어 생선을 꺼낸 후, 키워서 먹는다.

⑤ 두루미에게 양해를 구한 후 병을 부숴서 생선을 꺼내어 먹는다.

|Point| ❶ 주어진 상황의 소품을 변형·파괴하거나 흔한 도구를 사용하는 것은 좋은 아이디어가 아닙니다.

❷ 문제가 발생한 원인을 생각해야 합니다. 즉, 두루미는 부리가 길어 숟가락을 사용해도 먹기 힘들고, 여우는 입이 작아 호리병 속에 생선을 먹을 수가 없습니다.

03 |문제 개요| 낙타가 바늘 구멍을 통과할 수 있는 방법을 생각해 보는 연습을 하는 문제입니다.

|답안 예시|

① 바늘을 크게 만든다.

② 낙타를 죽여 가루로 만든 후, 구멍 사이에 넣는다.

③ 바늘 구멍보다 작은 초소형 미니 낙타를 개발한다.

④ 멀리 있는 낙타를 바늘 구멍을 통해서 본다.

⑤ 낙타를 빛에서 멀리, 바늘을 빛에 가까이 놓고 그림자를 통과시킨다.

⑥ 낙타의 사진을 찍은 다음, 사진을 가늘게 잘라 바늘 구멍에 모두 통과시킨다.

⑦ 낙타가 다니는 문의 이름을 '바늘 구멍'이란 이름을 짓는다.

⑧ 실의 이름을 '낙타'라고 한다.

|Point|

❶ 해결 방법이 합리적이고 어느 정도 현실적으로 가능한 것이어야 합니다.

❷ 남들이 쉽게 생각할 수 있는 것보다는 자기만의 독창적인 아이디어를 생각하도록 합니다. 따라서 '낙타를 작게 만든다', '바늘을 크게 만든다'와 같은 아이디어는 다른 사람도 쉽게 생각할 수 있으므로 아이디어로 인정하지 않습니다.

▌실전문제

P. 082

01 |문제 개요| 방안을 가득 채울 수 있는 물건을 1000원으로 살 때, 무엇이 좋을지 찾아내는 문제입니다. (7점)

|답안 예시|

① 맑은 공기(숲쪽으로 창문을 연다.)

✔② 빛 (초를 산다.)

✔③ 사랑(어머니께 꽃을 달아드린다.) ──── 독창성

④ 정보(신문을 방에서 읽는다.)

✔⑤ 향기(꽃을 산다.)

⑥ 흙(작은 삽을 산다.)

✔⑦ 새로운 이름 (방문 앞에 방의 이름을 만들어 붙인다.) ──── 독창성

⑧ 어둠 (창문을 까만 종이로 가린다.)

✔⑨ 소리 (소리나는 장난감을 산다.)

✔⑩ 깨끗함 (빗자루로 청소한다.) ──── 독창성

유창성(6개) : 3점
독창성(2개) : 2점
5점

| Point | ❶ 물건 1가지에 아이디어 1개로 평가하지만, 1000원을 넘는 것이거나 공짜에 가까운 것은 아이디어로 인정하지 않습니다. **예** 공기, 햇빛 등은 아이디어가 아님

❷ 비슷한 아이디어가 반복되는 경우는 그 아이디어를 1개의 아이디어로 평가합니다.
예 빛과 어둠은 아이디어 1개

❸ 남들이 쉽게 생각하지 못하는 아이디어를 표현한 경우 독창성 보너스 점수를 부여합니다.

❹ 유창성 5점, 독창성 2점
유창성은 아이디어 수를 세어 아래 기준에 따라 점수 부여합니다.

아이디어의 개수	점수
1 ～ 2개	1점
3 ～ 4개	2점
5 ～ 6개	3점
7 ～ 8개	4점
9 ～ 10개	5점

※ 독창적인 아이디어에 2점까지 보너스 점수 부여

02 | 문제 개요 | 주어진 상황을 해결하기 위해 다양하고 기발한 아이디어를 제시하는 문제입니다. (5점)

| 답안 예시 |

✔① 새를 훈련시켜 밧줄을 물고 올라가게 한다.

✔② 풍선에 매달아 올려 보낸다.

③ 산악인에게 밧줄을 들고 올라가게 한다. •— 중복(누군가 올라간다)

✔④ 헬기를 이용하여 위에서 밧줄을 떨어 뜨려 준다.

⑤ 원숭이를 훈련시켜 밧줄을 올려 보낸다. •— 중복(누군가 올라간다)

✔⑥ 기다란 사다리를 만들어 올라간다.

✔⑦ 위에 있는 사람의 옷 등을 연결하여 밧줄을 만들게 한다.

⑧ 밑에 커다란 구조용 풍선을 펴 놓고, 뛰어내리게 한다. •—— 밧줄과 관련된 해결 방법이 아님

아이디어(5개): 3점

| Point | ❶ 해결 방법이 합리적이고 어느 정도 현실적으로 가능한 것이어야 합니다.

❷ 남들이 쉽게 생각할 수 있는 것보다는 자기만의 독창적인 아이디어를 생각하도록 합니다.

❸ 같은 아이디어가 반복되는 경우에는 그 아이디어는 1개로 평가합니다. **예** 새, 원숭이 훈련

❹ 아이디어의 개수에 따라 채점합니다.

아이디어의 개수	점수
1 ～ 2개	1점
3 ～ 4개	2점
5 ～ 6개	3점
7 ～ 8개	4점
9개 이상	5점

┃ 연습하기

01 |문제 개요| 각 숫자의 의미가 들어있는 낱말을 찾아내는 연습을 하는 문제입니다.

|답안 예시|

> **1**
>
> 제일, 수석
> 으뜸, 대상, 외동아들, 독방, 외발자전거, 외나무다리

> **2**
>
> 짝꿍
> 이중주, 양손잡이, 쌍둥이, 쌍꺼풀

> **3**
>
> 트라이앵글, 세모, 세발자전거, 삼국지, 삼각대, 삼겹살, 삼각관계

> **4**
>
> 사지, 사촌, 사계절, 사거리

> **5**
>
> 오곡밥, 오뉴월, 오대양

|Point| 한글에는 '한', '외', '일', '두', '쌍', '양' 등 과 같이 단어에 쓰이면 숫자를 나타내는 낱말이 많습니다.

02 |문제 개요| 전화번호의 숫자에서 장소를 유추할 수 있는 재미있는 전화번호를 찾아보는 연습을 하는 문제입니다.

|답안 예시|

7788	기차

2424	이삿짐 센터

4989	중고 장터

8282	자장면 배달

2626	공항

1253	콜택시

9292	치킨

6200	유기농 식품

0404	지하철 공사

7777	페인트 칠

|Point| 집집마다 많이 쌓여있는 각종 전단지나 생활 정보지를 보면 재미있는 전화번호들이 많습니다. 이러한 전화번호의 목적은 사람들에게 강하게 기억되기 위한 것입니다.

03 |문제 개요| 주어진 상황을 의성어, 의태어로 표현하는 연습을 하는 문제입니다.

|답안 예시|

사람들이

기다리며 ___왔다갔다___

물건을 찾아 ___이리저리___

길을 몰라 ___우왕좌왕___

헤메이며 ___갈팡질팡___

누가 볼까 ___안절부절___

무슨 일일까 ___힐끗힐끗___

당황해서 ___우물쭈물___

하기 싫어 ___밍기적밍기적___

웃는 모습이

재미있어서 ___키득키득___

기분 좋아서 ___방긋방긋___

엄마 보고 ___호호호호___

아빠 보고 ___하하하하___

즐거워서 ___깔깔깔깔___

마주 보고 ___싱글벙글___

같이 보고 ___까르르르___

따로 보고 ___우힛우힛___

|Point| 어떤 모양이나 상태, 동작을 나타내는 낱말을 의태어라고 하고, 소리를 나타내는 낱말을 의성어라고 합니다.

실전문제

01 |문제 개요| 주어진 낱말에서 규칙을 찾아 빈칸에 알맞은 단어를 완성하는 문제입니다. (5점)

|답안 예시| ⑦ 전화기 – 줄넘기 – 통화 – 운동 —— 2점

> 규칙
>
> 1. ①, ③, ⑤의 4개의 단어는 다음과 같은 규칙으로 나열되어 있습니다.
>   셋째 번 단어는 첫째 번 단어의 용도이고, 넷째 번 단어는 둘째 번 단어의 용도입니다.
> 2. ②, ④, ⑥의 4개의 단어는 다음과 같은 규칙으로 나열되어 있습니다.
>   첫째 번 단어는 둘째 번 단어를 포함하는 개념이고, 셋째 번 단어는 넷째 번 단어를 포함하는 개념입니다. —— 3점

|Point| ❶ 유비추론은 2가지 이상의 대상에서 공통점과 유사성 관계의 내용을 파악하고 이해하는 능력으로, 추론 영역에서 매우 중요한 능력입니다.

❷ 다음 기준에 따라 채점합니다.

구분	기준	점수
빈칸 채우기	규칙에 맞게 빈칸을 완성한 경우	2점
규칙 찾기	홀수째 번 단어의 묶음과 짝수째 번 묶음의 규칙을 알맞게 찾아낸 경우	3점

02 |문제 개요| 주어진 낱말과 같은 성격의 낱말을 찾아내는 문제입니다. (5점)

|답안 예시| ✔① 엉금엉금 　　　　　　　　　　✔⑨ 우물쭈물

✔② 아둥바둥 　　　　　　　　　　✔⑩ 우왕좌왕

✔③ 알록달록 　　　　　　　　　　✔⑪ 울긋불긋

✔④ 안절부절 　　　　　　　　　　✔⑫ 울퉁불퉁

✔⑤ 엎치락뒤치락 　　　　　　　　✔⑬ 티격태격

✔⑥ 오목조목 　　　　　　　　　　✔⑭ 허겁지겁

✔⑦ 오순도순 　　　　　　　　　　✔⑮ 싱글벙글

✔⑧ 옹기종기 　　　　　　　　　　✔⑯ 다짜고짜

아이디어(16개) : 5점

|Point| ❶ 다음과 같은 점에 유의하여 단어를 찾아내어야 합니다.
　　　 – 의성어인지 의태어인지 파악합니다.
　　　 – 똑같은 두 낱말이 연결되었는지, 다른 두 낱말이 연결되었는지 파악합니다.
❷ 운율을 맞추기 위해 비슷한 형태의 말을 앞뒤로 이어 붙여야 합니다.
❸ 아이디어의 개수에 따라 채점합니다.

아이디어의 개수	점수
1	1점
2 ~ 4개	2점
5 ~ 7개	3점
8 ~ 9개	4점
10개 이상	5점

연습하기

01 |문제 개요| 주어진 문장에서 원인과 결과를 찾아 분류하는 연습을 하는 문제입니다.

|답안 예시| (1)

원인	밤에 열이 너무 올랐다.
결과	응급실에 갔다.

(2)

원인	손을 다쳤다.
결과	농구를 할 수 없었다.

(3)

원인	교통사고	차가 막혔다.
결과	차가 막혔다.	등교 시간에 늦었다.

|Point| ❶ 원인과 결과를 구분할 때, 반드시 문장의 앞부분에 원인이 나오고 뒷부분에 결과가 나오는 것은 아닙니다. 결과가 먼저 나오는 문장도 있으므로 문장의 인과 관계를 잘 파악해야 합니다.

❷ (3)번 문항과 같이, 앞 사건의 결과가 동시에 뒷 사건의 원인이 되는 경우도 있습니다.

02 |문제 개요| 삼단논법의 결론을 찾아내는 연습을 하는 문제입니다.

|답안 예시| (1)

- 모든 야채는 몸에 좋다.
- 오이는 몸에 좋다. → 결론
- 오이는 야채다.

(2)

- 고래는 젖을 먹인다. → 결론
- 고래는 포유류이다.
- 모든 포유류는 젖을 먹인다.

(3)

- 민성이는 바나나 우유를 먹지 않는다. → 결론
- 민성이는 바나나를 좋아하지 않는다.
- 바나나 우유에는 바나나가 들어 있다.

(4)

- 봄이 오면 뒷산에 진달래가 핀다.
- 봄이 왔다.
- 뒷산에 진달래가 피었다. → 결론

|Point| 삼단논법은 대전제, 소전제, 결론으로 이루어져 있습니다.
주어진 문장 중 가장 일반적이고 광범위한 사실을 나타내는 문장이 대전제인 경우가 많습니다.

03 |문제 개요| 주어진 문장을 삼단논법에 맞게 완성하는 연습을 하는 문제입니다.

|답안 예시| (1) 모든 새들은 날개가 있다.

독수리는 새다.

| 독수리는 날개가 있다. |

(2) | 식물은 물을 필요로 한다. |

선인장은 식물이다.

선인장은 물을 필요로 한다.

(3) 독서량이 많으면 국어 점수가 높을 것이다.

은선이는 독서량이 많다.

| 은선이는 국어 점수가 높을 것이다. |

(4) 말이 많으면 실수를 자주 한다.

| 지은이는 말이 많다. |

| 지은이는 실수를 자주 한다. |

(5) 키가 큰 사람은 발도 크다.

| 발이 크면 신발이 예쁘지 않다. |

| 키가 큰 사람의 신발은 예쁘지 않다. |

|Point| 삼단논법의 명제들을 기호로 나타내어 보면, 삼단논법을 완성하는 데 도움이 됩니다.
대전제 : 모든 사람은 죽는다. A → B
소전제 : 소크라테스는 사람이다. C → A
결론 : 소크라테스는 죽는다. C → B
(사람 − A, 죽는다 − B, 소크라테스 − C)

01 |문제 개요| 주어진 문장이 논리적으로 올바르게 완성하는 문제입니다. (5점)

|답안 예시| (1)

> ✓• 티토는 사자보다 작다.
> ✓• 티토는 코끼리보다 작다.
> ✓• 티토는 제일 작다.
> ✓• 티토는 사자와 코끼리보다 작다.   — 3점

(2)

> • 리사는 두더지이다.   — 2점

|Point| ❶ 문제 (1)은 전제를 보고 결론을 추리하는 문제이고, (2)는 전제나 결론을 보고 논리적으로 올바른 문장을 만드는 문제입니다.

❷ 다음 기준에 따라 채점합니다.

(1)의 기준	점수
2개의 전제에서 추론되는 내용으로 3개 이상 쓴 경우	3점
2개의 전제에서 추론되는 내용으로 2개 쓴 경우	2점
2개의 전제에서 추론되는 내용으로 1개 쓴 경우	1점

(2)의 기준	점수
정답인 '리사는 두더지이다'를 쓴 경우	2점
정답인 '리사는 두더지이다'를 쓰지 못한 경우	0점

02 |문제 개요| 악어가 말한 문장의 논리적 허점을 찾아내는 문제입니다. (5점)

|답안 예시|

> 살려주지 않을 것이라고 이야기해야 합니다.
> 경우 A : 만약 악어가 살려주지 않으려고 했다면, 어머니가 올바른 답을 말하였
> 으므로 살려줄 수 밖에 없습니다.
> 경우 B : 만약 악어가 살려주려고 했다면, 어머니가 틀린 답을 말하였어도 원래의
> 의도대로 살려줄 수 밖에 없습니다.   — 5점

|Point| ❶ 문장 속에 결정적인 힌트가 들어있는 경우가 많습니다. 위 문제의 경우, "알아맞히면 살려 주지."라는 부분이 결정적인 힌트입니다.

❷ 다음 기준에 따라 채점합니다.

기준	점수
정답인 '살려주지 않을 것이다'를 쓴 경우	5점
정답인 '살려주지 않을 것이다'를 쓰지 못한 경우	0점

연습하기

01 |문제 개요| 외래어를 알맞게 우리말로 바꾸어 보는 연습을 하는 문제입니다.

|답안 예시|

┌─ **뉴스** ─────────────────────────┐
│ 새 소식, 세계 일기(日記), 전하는 말 │
└────────────────────────────────┘

┌─ **커피** ─────────────────────────┐
│ 어른 음료, 잠 없는 차, 까만 식혜 │
└────────────────────────────────┘

┌─ **컴퓨터** ────────────────────────┐
│ 척척박사 기계, 만물 상자, 인공 두뇌 │
└────────────────────────────────┘

┌─ **게임** ─────────────────────────┐
│ 놀이, 승부 │
└────────────────────────────────┘

┌─ **아이스크림** ──────────────────────┐
│ 얼음 과자, 시린 과자 │
└────────────────────────────────┘

|Point| 순 우리말로 여겨지는 말 중에는 생각보다 한자말이 많습니다. 영어에서 온 외래어를 순 우리말로 바꿀 때는 한자어를 가능한 사용하지 않는 것이 좋습니다.

02 |문제 개요| 끝말 잇기 퍼즐을 완성하는 연습을 하는 문제입니다.

|답안 예시|

(1)
| 학교 | ➡ | 교실 | ➡ | 실내 | ➡ | 내복 |

| 초밥 | ⬅ | 난초 | ⬅ | 장난 | ⬅ | 복장 |

(2)
| 백화점 | ➡ | 점수 | ➡ | 수영 | ➡ | 영어 |

| 라디오 | ⬅ | 자라 | ⬅ | 부자 | ⬅ | 어부 |

(3)
| 자동차 | ➡ | 차이점 | ➡ | 점심 | ➡ | 심술 |

| 지렁이 | ⬅ | 둥지 | ⬅ | 기둥 | ⬅ | 술래잡기 |

| 이끼 | ➡ | 끼니 | ➡ | 니트 | ➡ | 트림 |

|Point| 끝말 잇기를 완성할 때는 같은 단어를 2번 이상 사용하거나 비슷한 의미의 단어를 나열하는 것은 좋지 않습니다.

03 |문제 개요| 알맞은 연상으로 빈칸에 알맞은 단어를 써 넣는 연습을 하는 문제입니다.

|답안 예시|

(1) 자장면 ➡ 졸업식 ➡ 졸업장 ➡ 상장

(2) 겨울 ➡ 춥다 ➡ 가난 ➡ 식량

(3) 질서 ➡ 줄 ➡ 티켓 ➡ 영화

(4) 검다 ➡ 터널 ➡ 기차 ➡ 바다 ➡ 소금

(5) 자동차 ➡ 이동 ➡ 배달 ➡ 오토바이 ➡ 헬멧

|Point| 낱말 연상 퍼즐을 완성할 때는 연상이 너무 개인적이거나 자기만이 이해할 수 있는 관계여서는 안됩니다. 누구라도 고개를 끄덕일 수 있으면서도 독창적인 연상을 잘 표현해 봅니다.

01 |문제 개요| 단어로 만들어진 계산식을 알맞게 문장으로 표현해 보는 문제입니다. (6점)

|답안 예시|

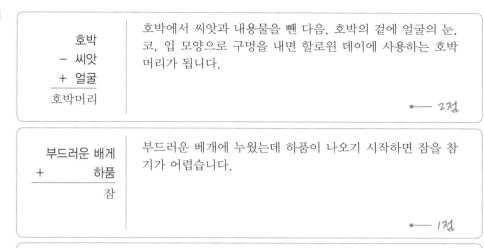

| 호박
− 씨앗
+ 얼굴
─────
호박머리 | 호박에서 씨앗과 내용물을 뺀 다음, 호박의 겉에 얼굴의 눈, 코, 입 모양으로 구멍을 내면 할로윈 데이에 사용하는 호박머리가 됩니다.

●── 2점 |

| 부드러운 베개
+   하품
─────
잠 | 부드러운 베개에 누웠는데 하품이 나오기 시작하면 잠을 참기가 어렵습니다.

●── 1점 |

| 황금색
허수아비
+   참새
─────
가을 풍경 | 황금색으로 물든 벌판 위에 참새가 날아다니고, 소박하게 만들어진 허수아비가 있는 아름다운 가을의 풍경입니다.

●── 2점 |

|Point|

❶ 작은 문장 하나를 표현할 때도, 가능한 독창적이고 정서적인 문장을 쓰는 것이 좋은 점수를 받을 수 있는 비결입니다.

❷ 작은 문항별로 다음 기준에 따라 채점합니다.

기준	점수
독창적인 표현이나 정서적인 느낌을 담고 있는 표현을 사용한 경우	2점
단어식과 적절한 연관성을 가지는 문장인 경우	1점
단어식과 관계없는 문장을 쓴 경우	0점

02 |문제 개요| 주어진 단어로 재미있는 수수께끼를 만드는 문제입니다. (5점)

|답안 예시|

주전자
- ✔ 긴 코에서 자주 콧물을 흘리는 것은?
- ✔ 열 받으면 코에서 김을 훅훅 뿜고, 머리칼이 들썩들썩거리는 것은?

방귀
- ✔ 엉덩이가 하는 기침은?
- ✔ 귀는 귀인데 냄새가 지독한 귀는?

달걀
- • 원래 하나인데 깨뜨리면 2개가 되는 것은?
- ✔ 흰 속살 속에 노란색 마음을 품고 있는 것은?

아이디어(5개) : 2점

|Point|

❶ 단어 수수께끼를 만드는 것은 대상을 의인화하여 행동이나 상태를 표현하는 방법과, 단어의 글자 자체를 이용하는 방법이 있습니다.

❷ 수수께끼가 주어진 단어와 적절하게 연결된 경우만 아이디어로 인정합니다.

❸ 아이디어의 개수에 따라 채점합니다.

아이디어의 개수	점수
1 ~ 3개	1점
4 ~ 6개	2점
7개 이상	3점

대표 유형 탐구　　　　　　　　　　　　　　　　　　　　　　　　　　　　P. 108

|풀이| 　(1) 도형의 변화 규칙은 사각형 위아래에 반으로 분할되어 있던 도형의 일부들이 가운데로 이동하여 하나의 도형이 됩니다.
　　　(2) 도형의 변화의 규칙은 처음 모양의 도형이 180° 회전한 후, 화살표 방향만 다시 180° 회전하였습니다.
　　　(3) 도형의 변화 규칙은 원 밖의 사각형과 원 안의 사각형이 서로 위치와 크기를 바꾸었습니다.
　　　　단, 색은 바뀌지 않았습니다.

|답| 　(1) 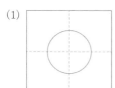　　(2) 　　(3)

유형 탐구　　　　　　　　　　　　　　　　　　　　　　　　　　　　　　　P. 110

01 |풀이| 　바깥의 도형은 바로 세워지고, 안에 있는 도형은 가로로 반을 자른 후 윗쪽만 그린 것입니다.

　　 |답| 　②

02 |풀이| 　시계 반대 방향으로 90° 회전시키고, 테두리와 무늬만 남겼습니다.

　　 |답| 　

03 |풀이| 　(1) 세로줄을 기준으로 규칙을 찾습니다. 둘째 번 칸에서는 첫째 번 칸의 도형이 시계 반대 방향으로 90°, 셋째 번 칸에서는 시계 반대 방향으로 180° 회전했습니다.
　　　(2) 가로줄을 기준으로 규칙을 찾습니다. 첫째 번 칸의 모양과 둘째 번 칸의 모양을 합치면 셋째 번 칸의 모양이 됩니다.

　　 |답| 　(1) 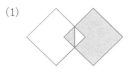　　　(2)

01 |풀이| 그림들은 공통적으로 육각형, 사각형, 꺾여진 선분으로 이루어져 있습니다. 그런데 그림 ②를 제외한 다른 그림들은 사각형과 꺾여진 선분이 만나지만 그림 ②는 만나지 않습니다.

     |답| ②, 풀이 참조

02 |풀이| 밑에 있는 두 도형의 공통 부분을 위에 그리는 규칙입니다.

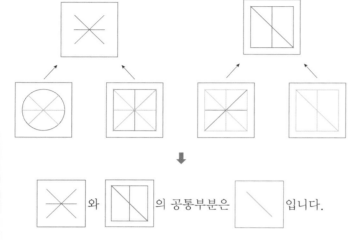

                      와   의 공통부분은   입니다.

     |답|

대표 유형 탐구   P. 114

|풀이| $3+4+5-8=4$

|답| 4

Drill   P. 115

|풀이| (1) ① $1+9=10$ ② $9÷1×1=9$
            (2) ① $2+6-0=8$ ② $9÷3×1+5=8$ ③ $0×3×6×5+1=1$

|답| (1) ① 10 ② 9   (2) ① 8 ② 8 ③ 1

유형 탐구   P. 116

01 |풀이| A B C D E
            F G H I J
            K L M N O
            P Q R S T
            U V W X

(a, b)는 알파벳을 다음과 같이 배열했을 때, 위치를 나타냅니다.
따라서 (1, 3)=K, (5, 3)=O, (3, 4)=R, (5, 1)=E, (1, 1)=A입니다.

|답| KOREA

02 |풀이| █●=1, █●●=2, █◎=5, ●=10, ●●=20을 나타냅니다.
따라서 (개)=50+1+1+1=53,   (나)=2+2+1+5=10입니다.

|답| (개) : 53, (나) : 10

03 |풀이| ▲=1, ■=5을 나타냅니다.

그림은 $3\bigcirc 6\bigcirc 5\bigcirc 4=10$입니다.

따라서 $3\left(+\right)6\left(+\right)5\left(-\right)4=10$입니다.

|답|

04 |풀이|

$$\begin{array}{r} A+B+C+D=15 \\ -)\,A+B+C+C=10 \\ \hline D-C=5 \end{array} \Rightarrow D=C+5$$

$$\begin{aligned} \boxed{} &= A+B+B+D \\ &= A+B+B+C+5 \\ &= 13+5 \\ &= 18 \end{aligned}$$

|답| 18

Plus 유형

P. 118

01 |풀이|

▨ : 자기 자신을 곱한 후, 2를 더합니다.

예 3 → ▨ → 11

$3 \times 3 + 2 = 11$

▨ : 곱하기 2를 한 후, 1을 더합니다.

따라서 4 → ▨ → ▨ → 37 입니다.

$4 \times 4 + 2 = 18$ $18 \times 2 + 1 = 37$

|답| 37

02 |풀이| 표 ㈎ ➡ 표 ㈏ : 시계 반대 방향으로 수를 옮깁니다.

↰	↰
↳	↳

|답|

10	6	7	3
1	16	15	12

9	5	11	8
4	13	2	14

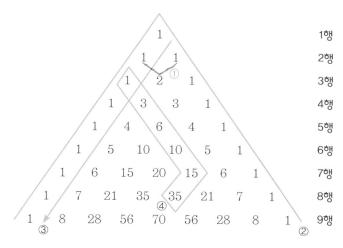

1	1행
1　1	2행
1　2　① 1	3행
1　3　3　1	4행
1　4　6　4　1	5행
1　5　10　10　5　1	6행
1　6　15　20　15　6　1	7행
1　7　21　35　35　21　7　1	8행
1　8　28　56　70　56　28　8　1	9행

찾은 규칙

① 각 행의 처음과 끝에 있는 1을 제외한 수는 위의 두 수를 합한 결과를 씁니다.

② 각 행의 처음과 끝에는 1이 있습니다.

③ 각 행의 둘째 번 수는 1, 2, 3, 4, …과 같이 1씩 커집니다.

④ 1부터 시작하여 대각선으로 어떤 수까지 모두 더하면, 마지막 더한 수의 왼쪽 밑에 있는 수가 그 수들의 합이 됩니다.

　예 $1+3+6+10+15=35$

⑤ 각 행의 수의 합은 밑으로 갈수록 2배씩 커집니다.

1행	1
2행	$1+1=2$
3행	$1+2+1=4$
4행	$1+3+3+1=8$
5행	$1+4+6+4+1=16$
6행	$1+5+10+10+5+1=32$
⋮	⋮

(각 행 사이에 2배 표시)

이 외에도 여러 가지 규칙을 찾을 수 있습니다.

|답| 풀이 참조

대표 유형 탐구 P. 120

|풀이| (1) 혜민이가 처음 생각한 수를 67이라고 예상하면 새로 만든 수는 76입니다.
그런데 $(67+1) \div 2 = 68 \div 2 = 34$이므로 예상이 틀렸습니다.
처음 생각한 수를 73이라고 다시 예상하면 새로 만든 수는 37입니다.
이때, $(73+1) \div 2 = 74 \div 2 = 37$이므로 조건에 맞습니다.
(2) 지수가 처음 생각한 수를 48이라고 예상하면 새로 만든 수는 84입니다.
그런데 $(84+1) \times 2 = 170$이므로 예상이 틀렸습니다.
처음 생각한 수를 52라고 다시 예상하면 새로 만든 수는 25입니다.
이때, $(25+1) \times 2 = 52$이므로 조건에 맞습니다.

|답| (1) 처음 생각한 수 : 73, 새로 만든 수 : 37
(2) 처음 생각한 수 : 52, 새로 만든 수 : 25

Drill P. 121

01 |풀이| 남자 어린이의 나이를 □살, 여자 어린이의 나이를 △살이라 하고, 주어진 조건을 식으로 나타내면
다음과 같습니다.
$□ \times △ = 48$
$□ - 1 = △ + 1$
그러므로 남자 어린이는 8살, 여자 어린이는 6살입니다.

|답| 풀이 참조

02 |풀이| 친구가 △명이고 1개씩 줄 때마다 $(△+1)$개, □회 반복하면 $□ \times (△+1)$개입니다.
$□ \times (△+1) = 25$를 만족하는 경우는
$25 = 1 \times 25 = 5 \times 5 = 25 \times 1$
$= 1 \times (24+1) = 5 \times (4+1) = 25 \times (0+1)$입니다.
따라서 △ = 0, 4, 24가 가능한데, 그 중 0은 불가능하므로 △ = 4, 24입니다.

|답| 4명 또는 24명

유형 탐구 P. 122

01 |풀이| (정민) = (자경) × 3 또는 (정민) = (수민) × 3
(자경) = (수민) × 2 또는 (자경) = (희은) × 2
수민이가 둘째 번으로 카드를 많이 갖는 경우는 (자경) = (희은) × 2인 경우입니다.
따라서 정민이가 카드를 제일 많이 가지고 있고, 희은이가 제일 적게 가지고 있습니다.

|답| 정민, 수민, 자경, 희은

02 |풀이| 거꾸로 계산하여 알아냅니다.

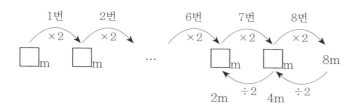

|답| 2m

03 |풀이| 달팽이는 하루 동안 1m를 올라갑니다.
27m까지 올라가는데 27일이 걸리고, 28일째 낮에 30m를 다 올라갑니다.

|답| 28일

04 |풀이| 15병을 다 마시고 빈 병을 가져다 주면 새 음료수 5병을 얻습니다. 이것을 마시고 나서 3병을 가져다 주고
1병을 받아 마신 후, 교환하지 않은 2병과 합하면 새 음료수 1병으로 교환할 수 있습니다.
따라서 15+5+1+1=22(병)을 마실 수 있습니다.

|답| 풀이 참조

Plus 유형
P. 124

01 |풀이|

무게(g)	식	무게(g)	식
1g	1	7g	7
2g	1+1	8g	1+7
3g	3	9g	1+1+7
4g	1+3	10g	3+7
5g	1+1+3	11g	1+3+7
6g	7−1	12g	1+1+3+7

6g의 경우에는 양팔저울 한쪽에 7g, 다른 쪽에 1g의 추를 놓으면 6g을 잴 수 있습니다.

|답| 1g부터 12g까지 모두 가능합니다.

02 |답| 04 : 02   04 : 11   04 : 20   05 : 01   05 : 10   06 : 00   10 : 05   10 : 14   10 : 23   10 : 32
10 : 41   10 : 50   11 : 04   11 : 13   11 : 22   11 : 31   11 : 40

03 |풀이| ㉢>㉠, $\underline{2×㉠>㉢, 2×㉠=㉡}$
비교해 보면, ㉡>㉢

따라서 ㉡>㉢>㉠입니다.

|답| ㉡, ㉢, ㉠

04 |풀이| 모양과 크기가 같으므로 무게도 같습니다. 그러므로 ②, ③은 진짜 금화이고, ①이 진짜 금화라면 ④가 무거운 금화입니다. 그러나 이 경우에는 C가 성립하지 않습니다.
따라서 ④가 진짜 금화라면 ①이 가벼운 금화이고 이 경우에는 C가 성립합니다.

|답| ① (가벼운 금화)

대표 유형 탐구

P. 126

|답|

	2				
	2			4	
3			5		
	5				3
			5		
	6				1

Drill

P. 127

|답|

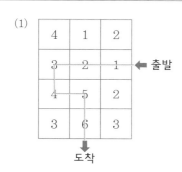   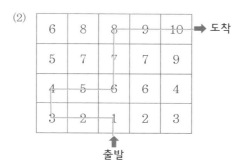

유형 탐구

P. 128

01 |풀이|

①	②	③	④	⑤	⑥	⑦
9	2	1	5	4	3	6

①＋②＋③＋④＋⑤＋⑥＋⑦＝30
④＝5
5＋⑤＝①
②＋③＝⑥
⑦＝⑥×2
가장 큰 수를 찾으므로 ①＝9라고 하면, ⑤＝4입니다.

|답|

9	2	1	5	4	3	6

02 |풀이| 연결된 선이 가장 많은 ㉯와 ㉱에 연속한 수가 가장 적은 6과 1을 써넣습니다.

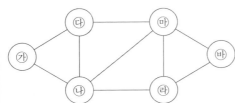

1과 이웃하는 수 2는 1과 선으로 연결된 곳이 아닌 ㉮에, 6과 이웃하는 수 5는 ㉯와 선으로 연결된 곳이 아닌 ㉲에 넣습니다. 마지막으로 5와 이웃하는 수 4는 5와 선으로 연결된 곳이 아닌 ㉰에, 2와 이웃하는 수 3은 2와 선으로 연결된 곳이 아닌 ㉳에 넣으면 됩니다.

|답|

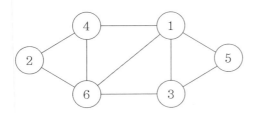 또는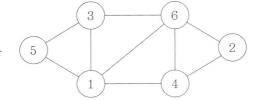

03 |답|

(1)

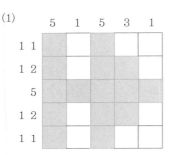

(2)

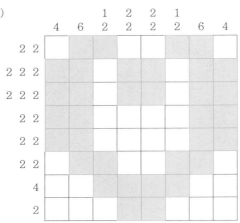

04 |답|

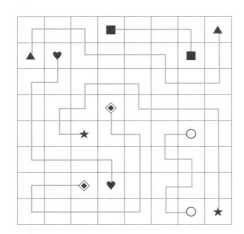

05 |답|

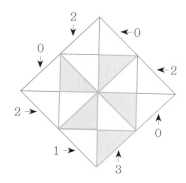

06 |답|

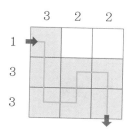

대표 유형 탐구

P. 132

|풀이| 완전한 정사각형 모양의 색종이를 1장씩 빼내면서 해결합니다.
위에서부터 순서대로 쓰면, ⑥-④-⑦-⑤-③-②-①입니다.

|답| ①

Drill

P. 133

|풀이|

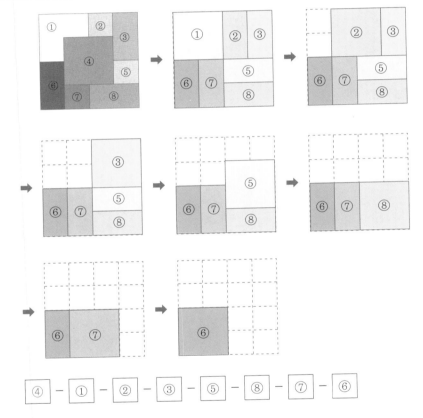

④ － ① － ② － ③ － ⑤ － ⑧ － ⑦ － ⑥

|답| 풀이 참조

유형 탐구

P. 134

01 |답|

(1) ⑥ － ⑦ － ⑧ － ⑤ － ④ － ③ － ② － ①

(2) ⑦ － ⑤ － ⑥ － ③ － ④ － ② － ①

02 |풀이| ㉮ 색종이에서 구멍이 있는 위치를 ㉯, ㉰ 색종이에서 살펴봅니다.
A 부분을 살펴보면, 색종이가 놓인 순서가 위에서부터 밑으로 ㉮-㉰-㉯임을 알 수 있습니다.

|답| ㉰ 색종이

03 |풀이| ㉮, ㉯, ㉰ 3장의 색종이를 겹치는 경우는 6가지이고, 보이는 ㉮ 무늬의 구멍이 1개인 경우는 다음과 같습니다.

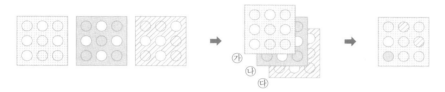

|답| ㉰, ㉮, ㉯

Plus 유형
P. 136

01 |풀이| 대칭축과 그림까지의 거리를 수로 표시하면 다음과 같습니다.

접는 선	현주	민수	현정	동현
㉠	1칸	8칸	7칸	12칸
㉡	3칸	10칸	5칸	10칸
㉢	5칸	12칸	3칸	8칸
㉣	7칸	14칸	1칸	6칸

|답| (1) 현정 – 현주 – 동현 – 민수　　　(2) 선 ㉠

02 |풀이|

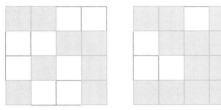

최소 : 8칸　　　　최대 : 12칸

이 외에도 여러 가지 답이 나올 수 있습니다.

|답| 풀이 참조

대표 유형 탐구 P. 138

|답| ③, ④, ⑤

Drill P. 139

|답|

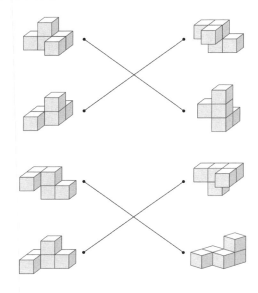

유형 탐구 P. 140

01 |풀이| 쌓기나무를 여러 방향으로 돌려 보면 ①, ⑧이 같은 모양, ②, ④, ⑤, ⑫가 같은 모양, ⑥, ⑨가 같은 모양, ⑦, ⑩, ⑪이 같은 모양임을 알 수 있습니다.

|답| 5종류

02 |답| ②, ③, ④

03 |답| ①

Plus 유형 P. 142

01 |답| ③

02 |답| ⑤

03 |답| ③

04 |답| ②, ④

대표 유형 탐구

P. 144

|풀이|

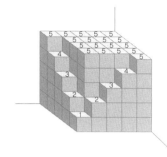

$$5 \times 18 + 4 \times 2 + 3 \times 2 + 2 \times 2 + 1 = 109(개)$$

|답|　　　109개

Drill

P. 145

01 |풀이|　(1)

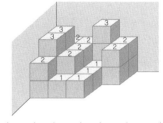

(2)

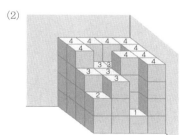

$$(1 \times 4) + (2 \times 7) + (3 \times 3) = 27(개)$$

$$1 + 2 + (3 \times 5) + (4 \times 9) = 54(개)$$

|답|　　(1) 27개　　　　　(2) 54개

02 |풀이|　(1) 전체 쌓기나무 수 : 21개
　　　　　　보이는 쌓기나무 수 : 12개
　　　　　　안 보이는 것 : 21−12=9(개)

　　　　(2) 전체 쌓기나무 수 : 44개
　　　　　　보이는 쌓기나무 수 : 24개
　　　　　　안 보이는 것 : 44−24=20(개)

|답|　　(1) 9개
　　　　(2) 20개

01 |풀이| 보이는 곳에서 두 면에 페인트가 칠해진 쌓기나무를 찾아보면 다음과 같습니다.

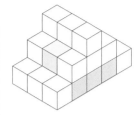

이때 쌓기나무로 만든 모양의 보이지 않는 쪽에도 2개의 면에 페인트가 칠해져 있는 것이 4개 있으므로, 전체 8개입니다.

|답| 8개

02 |풀이|

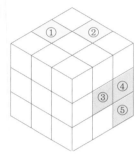

①, ②는 세로 방향이 검은색, ③, ④, ⑤는 가로 방향이 검은색입니다.
①과 ③, ②와 ④, ②와 ⑤는 각각 쌓기나무 1개씩을 같이 가집니다.
따라서 $3 \times 5 - (1+1+1) = 15 - 3 = 12$(개)입니다.

|답| 12개

03 |풀이| (1) 조각 A의 위치는 다음과 같습니다.

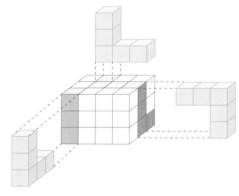

전체 쌓기나무의 개수는 $4 \times 3 \times 3 = 36$(개)입니다.
조각 A는 쌓기나무 5개로 이루어져 있고, 조각 A가 모두 3개이므로, 조각 A를 만드는데 쌓기나무는 $5 \times 3 = 15$(개) 필요합니다.
따라서 조각 B의 개수는 $36 - 15 = 21$(개)입니다.

(2) 조각 A의 위치는 다음과 같습니다.

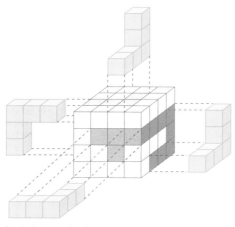

전체 쌓기나무의 개수는 $4 \times 4 \times 4 = 64$(개)입니다.
조각 A는 쌓기나무 5개로 이루어져 있고, 조각 A가 모두 4개이므로, 조각 A를 만드는데 쌓기나무는 $5 \times 4 = 20$(개) 필요합니다.
따라서 조각 B의 개수는 $64 - 20 = 44$(개)입니다.

|답| (1) 조각 A : 3개, 조각 B : 21개
　　 (2) 조각 A : 4개, 조각 B : 44개

Plus 유형
P. 148

01 |풀이| 쌓기나무의 모양은 다음과 같습니다.

|답| 9개

02 |풀이| 쌓기나무의 모양은 8개의 쌓기나무로 이루어져 있습니다.

따라서 $3 \times 3 \times 3$ 정육면체를 만들기 위해서는 $3 \times 3 \times 3 - 8 = 19$(개)의 쌓기나무가 필요합니다.

|답| 19개

03 |풀이| 각 층별로 나누어 생각해 봅니다.

(1)

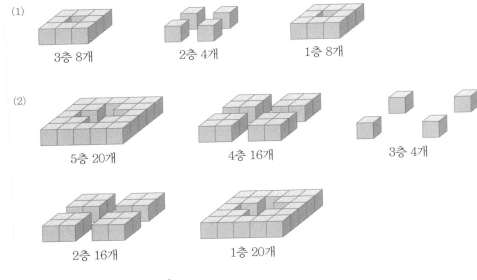

3층 8개   2층 4개   1층 8개

(2)

5층 20개   4층 16개   3층 4개

2층 16개   1층 20개

|답| (1) 20개   (2) 76개

수와 연산

1. 수 만들기

P. 152

|답|

$$2 \xrightarrow{+} 3 \xrightarrow{-} 4 = 1 \qquad 2 \xrightarrow{\times} 4 \xrightarrow{-} 6 = 2 \qquad 4 \xrightarrow{+} 2 \xrightarrow{-} 3 = 3$$

$$2 \xrightarrow{\times} 6 \xrightarrow{\div} 3 = 4 \qquad 6 \xrightarrow{-} 4 \xrightarrow{+} 3 = 5 \qquad 4 \xrightarrow{\times} 3 \xrightarrow{\div} 2 = 6$$

$$6 \xrightarrow{+} 4 \xrightarrow{-} 3 = 7 \qquad 6 \xrightarrow{+} 4 \xrightarrow{-} 2 = 8 \qquad 6 \xrightarrow{\times} 3 \xrightarrow{\div} 2 = 9$$

$$2 \xrightarrow{\times} 3 \xrightarrow{+} 4 = 10$$

이 외에도 여러 가지 답이 나올 수 있습니다.

2. 행복한 수

P. 153

|답|

$$343 \longrightarrow 3+4+3=10 \longrightarrow 1+0=1 \qquad \therefore \text{행복한 수}$$
$$901 \longrightarrow 9+0+1=10 \longrightarrow 1+0=1 \qquad \therefore \text{행복한 수}$$
$$703 \longrightarrow 7+0+3=10 \longrightarrow 1+0=1 \qquad \therefore \text{행복한 수}$$
$$505 \longrightarrow 5+0+5=10 \longrightarrow 1+0=1 \qquad \therefore \text{행복한 수}$$
$$541 \longrightarrow 5+4+1=10 \longrightarrow 1+0=1 \qquad \therefore \text{행복한 수}$$
$$721 \longrightarrow 7+2+1=10 \longrightarrow 1+0=1 \qquad \therefore \text{행복한 수}$$
$$631 \longrightarrow 6+3+1=10 \longrightarrow 1+0=1 \qquad \therefore \text{행복한 수}$$

이 외에도 여러 가지 답이 나올 수 있습니다.

3. 복면산

P. 154

|풀이| 세 자리 수 2개를 더하여 네 자리 수가 되었으므로 D=1입니다. 또한 일의 자리 숫자의 계산에서
C+C=C이므로 C=0입니다. 이를 이용하여 나머지 알파벳이 나타내는 수도 차례로 구합니다.

|답|

4. 약속에 따른 계산

|풀이| 두 자리 수에서 각 자리 숫자의 합은 1부터 18까지 가능하지만 7을 곱하여 두 자리 수가 될 수 있는
수는 1부터 14까지의 수입니다.
이 중에서 7과 곱하여 원래의 수가 되는 수를 차례로 찾으면 다음과 같습니다.

$1 \times 7 = 7$ $\boxed{6 \times 7 = 42}$ $11 \times 7 = 77$
$2 \times 7 = 14$ $7 \times 7 = 49$ $\boxed{12 \times 7 = 84}$
$\boxed{3 \times 7 = 21}$ $8 \times 7 = 56$ $13 \times 7 = 91$
$4 \times 7 = 28$ $\boxed{9 \times 7 = 63}$ $14 \times 7 = 98$
$5 \times 7 = 35$ $10 \times 7 = 70$

|답| 21, 42, 63, 84

|별해| a, b를 각각 십의 자리, 일의 자리 숫자라 하면 두 자리 수는 a×10+b입니다.
규칙에 따라 식을 세워 계산하면 다음과 같습니다.
$a \times 10 + b = (a + b) \times 7$
$a \times 3 = b \times 6$
$a = b \times 2$
따라서 (a, b) = (2, 1), (4, 2), (6, 3), (8, 4)이므로 두 자리 수는 21, 42, 63, 84입니다.

5. 벌레먹은 셈

|풀이| 먼저 일의 자리 숫자가 6이 되는 곱을 생각해 보면
$1 \times 6 = 6$, $2 \times 3 = 6$, $2 \times 8 = 16$, $4 \times 4 = 16$, $4 \times 9 = 36$, $6 \times 6 = 36$, $7 \times 8 = 56$입니다.
하지만 곱의 백의 자리 숫자가 7이므로 일의 자리의 가능한 곱은 $2 \times 8 = 16$, $4 \times 9 = 36$,
$7 \times 8 = 56$입니다.
이를 이용하면 3가지 답이 나옵니다.

|답|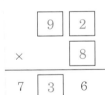

1. 도형 색칠하기

P. 157

|풀이| 붙어 있는 색칠한 삼각형의 개수가 4개인 경우, 3개인 경우, 2개인 경우, 붙어 있지 않은 경우로 각각 나누어 찾습니다.

|답| 풀이 참조

2. 도형 그리기

P. 158

|답|

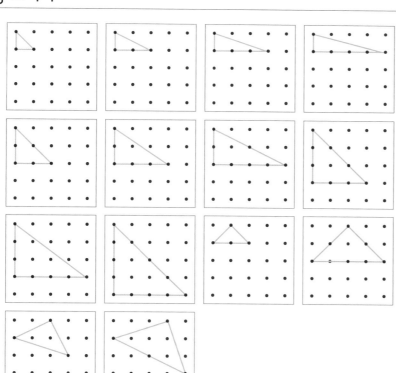

|답|

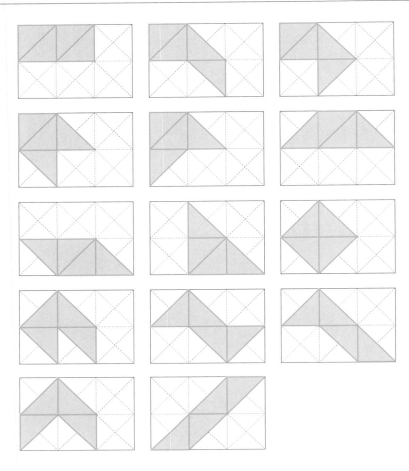

4. 도형 나누기   P. 160

|풀이| 정사각형이 12개이므로 정사각형을 6개씩 나누면 모두 8가지가 나옵니다.

|답|

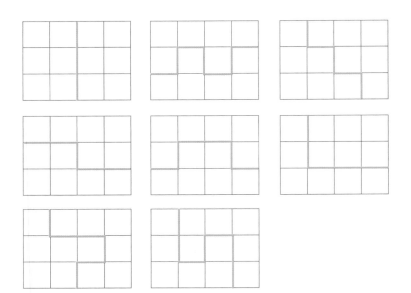

|답|

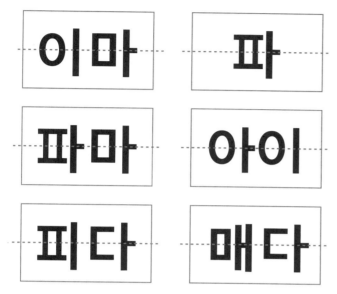

이 외에도 여러 가지 답이 나올 수 있습니다.

1. 수 배열 규칙 P. 162

|답|
① 셋째 번 세로줄의 수가 3씩 커집니다.
② 대각선 줄의 수가 1×1, 2×2, 3×3, … 과 같이 1씩 커지는 두 수의 곱이 나타납니다.
③ 곱셈표를 대각선으로 접으면 만나는 수가 같습니다.
④ 다섯째 번 가로줄과 다섯째 번 세로줄은 같은 규칙으로 수가 커집니다.
⑤ 1과 어떤 수의 곱은 어떤 수가 됩니다.
⑥ 홀수와 홀수의 곱은 홀수가 됩니다.
⑦ 곱셈의 결과가 홀수 번 나오는 수는 1, 4, 9, 16, 25, 36, 49입니다.
⑧ 5와 어떤 수를 곱하면 일의 자리 숫자는 0 또는 5가 됩니다.
⑨ 곱하는 두 수의 순서를 바꾸어도 곱의 결과가 같습니다.

이 외에도 여러 가지 답이 나올 수 있습니다.

2. 수 분류 P. 163

|답|
① 1, 3, 5, 7, 9, 11
2, 4, 6, 8, 10, 12 ⟶ 짝수와 홀수를 기준으로

② 3, 6, 9, 12 ⟶ 3의 배수인지를 기준으로
1, 2, 4, 5, 7, 8, 10, 11

③ 1, 2, 3, 4, 5, 6, 7, 8, 9
10, 11, 12 ⟶ 자릿수를 기준으로

④ 1, 4, 9 ⟶ 제곱수인지를 기준으로
2, 3, 5, 6, 7, 8, 10, 11, 12

이 외에도 여러 가지 분류 방법이 있습니다.

3. 눈금 없는 막대 자 P. 164

|풀이| 3, 5, 9의 합과 차로 표현할 수 있는 수를 찾는 것과 같습니다.

|답|

길이(cm)	재는 방법
1	9 - 5 - 3
2	5 - 3
3	3
4	9 - 5
5	5
6	9 - 3
7	9 + 3 - 5

길이(cm)	재는 방법
8	3 + 5
9	9
11	9 + 5 - 3
12	3 + 9
14	5 + 9
17	3 + 5 + 9

4. 눈금 없는 철사 자

|답|

길이(cm)	재는 방법	길이(cm)	재는 방법
1	1	14	15 − 1
2	3 − 1	15	15
3	3	16	15 + 1
4	3 + 1	18	15 + 3
5	15 − 7 − 3	19	15 + 7 − 3
7	7	21	15 + 7 − 1
8	15 − 7	22	15 + 7
9	15 − 7 + 1	23	1 + 15 + 7
11	3 + 15 − 7	25	3 + 15 + 7
12	15 − 3		

5. 양팔저울

P. 166

|답|

무게(g)	재는 방법	무게(g)	재는 방법
2	2	14	10 + 2 + 2
4	2 + 2	15	10 + 5
5	5	17	10 + 5 + 2
7	5 + 2	19	10 + 5 + 2 + 2
9	5 + 2 + 2	20	10 + 5 + 5
10	10	22	10 + 5 + 5 + 2
12	10 + 2	24	10 + 5 + 5 + 2 + 2

1. 길 찾기

P. 167

|답|

(1) 역 – 편의점 – 동물원 – 도서관 – 공연장 – 박물관 – 화장실 – 숙소

(2) 역 – 박물관 – 동물원 – 도서관 – 편의점 – 공연장 – 화장실 – 숙소

(3) 역 – 박물관 – 동물원 – 편의점 – 화장실 – 공연장 – 도서관 – 숙소

2. 수 배치하기

P. 168

|답|

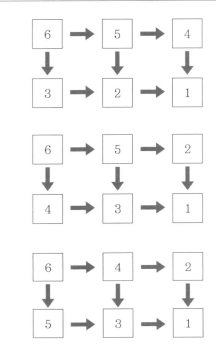

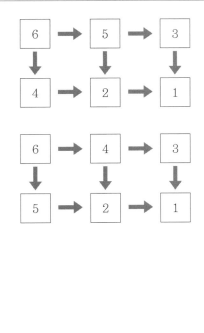

3. 같은 합 만들기

P. 169

|풀이| 1부터 7까지의 수를 일렬로 나열하여 두 수를 골라 합이 같도록 만들어 보면 다음과 같습니다.

합이 9

합이 8

합이 7

|답|

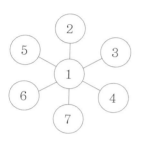

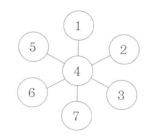

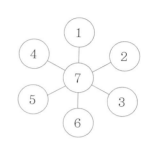

4. 가로 · 세로 합 퍼즐

P. 170

|답|

	⑧	⑦	
⑥	3	1	2
⑨	5	4	⑤
	⑦	2	5

5. 수 배열 퍼즐

P. 171

|답|

2	5	4	1	3
1	2	3	5	4
5	3	1	4	2
4	1	2	3	5
3	4	5	2	1

1. 고대의 수 P. 174

01 |답안 예시| ・돌 하나와 양 한 마리를 짝을 지어 양의 수만큼 돌을 쌓아 놓기

양치기 소년은 아침에 양들이 우리 밖으로 나갈 때마다 조약돌을 하나씩 쌓았고, 양이 한 마리씩 들어올 때마다 아침에 쌓았던 조약돌을 하나씩 내려놓았습니다.

그렇게 하여 쌓아 놓았던 조약돌들이 모두 없어진다면 양이 모두 제대로 돌아온 것이라 생각했을 것입니다.

이 외에도 양 한 마리와 짝을 이루는 도구를 이용할 수 있습니다.
예 나무에 선 그어 놓기, 풀잎 모아 놓기, 이름표 달기, 특징 기록해 놓기 등

02 |풀이| 예 (1) 피그미 족은 3까지의 수를 만든 다음 1과 2만을 더하는 방법으로 큰 수를 만들었습니다.

• 6 : 예 오아 오아 오아 • 7 : 예 오아 오아 오아 아

> **불편한 점** 큰 수를 나타내려면 수의 표현과 시간이 길어지고, 수를 어디까지 말했는지 정확히 기억하기 어렵습니다. 수를 말할 때는 발음을 정확하게 해야 하고, 듣는 사람은 입 모양과 함께 계속 집중하여 들어야 합니다.

(2) • 9 : 오른쪽 귀를 가리킴 • 16 : 왼쪽 팔꿈치를 가리킴

> **불편한 점** 큰 수를 만들려면 수를 나타내는 몸의 위치를 계속 정해야 하고 기억해야 하는 양도 많아집니다. 수를 말할 때는 꼭 몸짓·손짓과 함께 말해야 하며, 듣는 사람은 계속 집중하여 말하는 사람의 행동을 지켜봐야 합니다.

|답| (1) 풀이 참조 (2) 풀이 참조

03 |답안 예시| ・편지나 소포를 배달하기 불편합니다.
・달력을 볼 수 없어 내 생일과 나이를 알 수 없습니다.
・전화를 걸기 불편합니다.
・에어컨의 온도를 맞추기 불편합니다.
・신발을 살 때 발에 맞는지 모두 신어 봐야 합니다.
・점수를 기록해야 하는 운동 경기(농구, 체조, 사격 등)를 하기 불편합니다.
・운전을 할 때 속도를 조절하기 불편합니다.

01 |답|

(1)

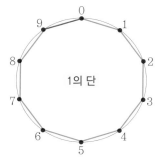

일의 자리 숫자: <u>1, 2, 3, 4, 5, 6, 7, 8, 9</u>

일의 자리 숫자: <u>3, 6, 9, 2, 5, 8, 1, 4, 7</u>

일의 자리 숫자: <u>4, 8, 2, 6, 0, 4, 8, 2, 6</u>

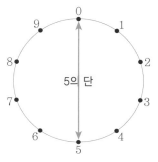

일의 자리 숫자: <u>5, 0, 5, 0, 5, 0, 5, 0, 5</u>

일의 자리 숫자: <u>6, 2, 8, 4, 0, 6, 2, 8, 4</u>

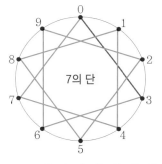

일의 자리 숫자: <u>7, 4, 1, 8, 5, 2, 9, 6, 3</u>

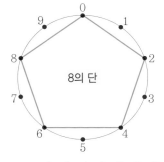

일의 자리 숫자: <u>8, 6, 4, 2, 0, 8, 6, 4, 2</u>

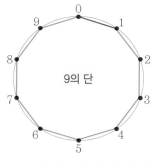

일의 자리 숫자: <u>9, 8, 7, 6, 5, 4, 3, 2, 1</u>

|답안 예시| (2) · 2의 단과 8의 단, 4의 단과 6의 단, 3의 단과 7의 단, 1의 단과 9의 단의 모양이 서로 같습니다.
· 2의 단은 2, 4, 6, 8, 0이 반복됩니다.
예 4의 단 : 4, 8, 2, 6, 0
5의 단 : 5, 0
6의 단 : 6, 2, 8, 4, 0
8의 단 : 8, 6, 4, 2, 0
· 2, 4, 6, 8의 단의 일의 자리 숫자가 순서는 다르지만 0, 2, 4, 6, 8로 같고 모두 짝수입니다.
· 1, 3, 7, 9의 단의 일의 자리 숫자가 순서는 다르지만 0부터 9까지의 수가 모두 한 번씩 나옵니다.
· 9의 단의 일의 자리 숫자는 9에서부터 1씩 작아집니다.

02 |답|
접은 손가락에 붙인 수는 9와 곱하는 수를 나타냅니다.
접은 손가락을 기준으로 왼쪽에 남아 있는 손가락의 개수는 십의 자리의 수, 오른쪽에 남아 있는 손가락의 개수는 일의 자리의 수를 나타냅니다.
손가락만으로 9의 단 곱셈구구를 할 수 있는 이유는 9의 단에서 곱해지는 수가 1씩 증가할 때마다 곱의 십의 자리의 수는 0부터 1씩 증가하고, 곱의 일의 자리의 수는 9부터 1씩 감소하기 때문입니다.

3. 가짜 금화 찾기

01 |답|

①과 ②의 무게 관계	가짜 금화의 번호	이유
① < ②	①	양팔저울의 접시가 올라가는 쪽이 더 가볍기 때문입니다.
① > ②	②	양팔저울의 접시가 올라가는 쪽이 더 가볍기 때문입니다.
① = ②	③	①, ②중에 가짜 금화가 있으면 양팔저울이 한쪽으로 기울어질텐데 평형을 이루고 있기 때문입니다.

02 |풀이| 먼저 A, B, C 3개의 주머니 중에 2개의 주머니를 선택하여 양팔저울의 양쪽에 1개씩 올려놓아 가짜 금화가 든 주머니를 찾습니다. 같은 방법으로 가짜 금화가 든 주머니에서 금화 3개 중 2개를 선택하여 양팔저울의 양쪽에 1개씩 올려놓아 가짜 금화 1개를 찾습니다.
따라서 양팔저울을 모두 2번만 사용하고도 가짜 금화를 찾을 수 있습니다.

1회		2회	
무게 비교	가짜 금화가 들어있는 주머니	무게 비교	가짜 금화
A > B	B	① > ②	②
		① < ②	①
		① = ②	③
A < B	A	④ > ⑤	⑤
		④ < ⑤	④
		④ = ⑤	⑥
A = B	C	⑦ > ⑧	⑧
		⑦ < ⑧	⑦
		⑦ = ⑧	⑨

|답| 풀이 참조

03 |풀이| 먼저 금화 8개를 3개, 3개, 2개의 세 묶음으로 나눈 후 3개짜리 두 묶음을 각각 양팔저울에 올려놓아 가짜 금화가 든 묶음을 찾습니다. 같은 방법으로 가짜 금화가 든 묶음에서 금화 2개를 선택한 후, 양팔저울의 양쪽에 1개씩 올려놓아 가짜 금화 1개를 찾습니다.
따라서 양팔저울을 모두 2번만 사용하고도 가짜 금화를 찾을 수 있습니다.

1회		2회	
무게 비교	가짜 금화가 들어있는 주머니	무게 비교	가짜 금화
①②③ > ④⑤⑥	④⑤⑥	④ > ⑤	⑤
		④ < ⑤	④
		④ = ⑤	⑥
①②③ < ④⑤⑥	①②③	① > ②	②
		① < ②	①
		① = ②	③
①②③ = ④⑤⑥	⑦⑧	⑦ > ⑧	⑧
		⑦ < ⑧	⑦
		⑦ = ⑧	불가능

|답| 풀이 참조

01 |풀이|

(1) 글자가 모두 16개이므로 글자 수를 2개씩 또는 4개씩 또는 8개씩 나눈 후, 나눈 글자들을
줄을 바꾸어 써서 암호를 만듭니다.

수	학
은	내
가	제
일	좋
아	하
는	과
목	이
에	요

수	학	은	내
가	제	일	좋
아	하	는	과
목	이	에	요

➡ 수가아목학제하이은일는에내좋과요

➡ 수은가일아는목에학내제좋하과이요

수	학	은	내	가	제	일	좋
아	하	는	과	목	이	에	요

➡ 수아학하은는내과가목제이일에좋요

(2) 암호를 만드는 방법을 거꾸로 생각하여 찾습니다.
글자들을 3개씩 나눈 후, 왼쪽의 세로 줄부터 위에서부터 차례로
쓰고, 첫째 줄부터 가로로 읽습니다.

범	인	은
윗	집	남
자	이	다

|답| (1) 풀이 참조　　　(2) 범인은윗집남자이다

02 |풀이|

(1) J → N, U → Y, I → M, C → G, E → I
(2) 암호를 만드는 방법을 거꾸로 생각하여 주어진 알파벳을 앞으로 3만큼씩 당겨서 읽습니다.

|답| (1) NYMGI　　　(2) CHAIR

03 |답안 예시| 암호 이름 : ___격자 회전 암호___

> **암호로 만들 문장**
>
> 수지야 고마워

> **암호를 만드는 방법**
>
> ① 3×3 격자판에 구멍이 뚫린 암호틀을 겹쳐 놓습니다.
> ② 구멍 뚫린 2칸에 위에서부터 차례로 암호로 만들 문장을 한 글자씩 씁니다.
> ③ 암호틀을 시계 방향으로 90°씩 돌려서 ②의 과정을 2번 반복합니다.
> ④ 나머지 빈칸에 아무 글자나 써넣습니다.
>
> 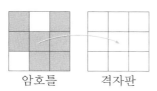 암호틀 격자판
>
>

> **암호문**
>
> | 야 | 수 | 마 |
> |---|---|---|
> | 산 | 경 | 고 |
> | 지 | 워 | 나 |

5. 숫자 퍼즐

P. 190

01 |풀이| 지뢰가 들어갈 수 없는 칸에 ×표 하여 7개의 지뢰를 찾습니다.

1	×	◯	1	1	★	2	×	1
2	★	2	1	1	1	2	◯	1
★	2	2	×	×	×	2	2	2
1	1	×	◯	1	×	1	◯	1
×	×	×	×	×	×	1	1	1
×	1	1	1	×	×	×	×	×
×	1	◯	1	×	1	1	1	×
×	1	1	1	×	2	◯	3	1
×	×	×	×	×	2	◯	★	×

|답| 풀이 참조

02 | 풀이 | 도착 지점에서 거꾸로 수를 찾아가는 방법으로 가장 짧은 길을 찾으면 다음과 같이 출발 지점 5에서 18칸을 지나 도착 지점까지 갈 수 있습니다.

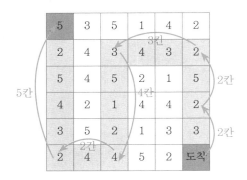

| 답 | 풀이 참조

03 | 답안 예시 | 퍼즐 이름: ___숫자 잇기 퍼즐___

> **규칙**
> ① 각 칸에 쓰여 있는 숫자들을 하나씩 별과 선으로 연결해야 합니다.
> ② 선을 그을 때는 그 숫자가 나타내는 수만큼 칸을 지나도록 가로 또는 세로 방향으로 긋습니다.
> ③ 선은 만나거나 겹칠 수 없고, 모든 칸을 한 번씩 지나야 합니다.

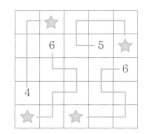

팩토

영재성
검사

창의적
문제
해결력 수학

— 정답과 풀이 —